Extraordinaire
de David Gilmour
est le mille vingt-sixième ouvrage
publié chez
<small>VLB ÉDITEUR.</small>

Direction littéraire : Perrine Leblanc
Traduction : Sophie Cardinal-Corriveau
Design de la couverture : Studio T-Bone

Catalogage avant publication de Bibliothèque et Archives nationales du Québec
et de Bibliothèque et Archives Canada
Gilmour, David, 1949-
 [Extraordinary. Français]
 Extraordinaire
 Traduction de : Extraordinary.
 ISBN 978-2-89649-531-3
 I. Cardinal-Corriveau, Sophie, 1974- . II. Titre. III. Titre : Extraordinary.
Français.
PS8563.I56E9714 2014   C813'.54   C2014-940375-5
PS9563.I56E9714 2014

VLB ÉDITEUR
Groupe Ville-Marie Littérature inc.*
Une société de Québecor Média
1010, rue de La Gauchetière Est
Montréal (Québec) H2L 2N5
Tél. : 514 523-7993, poste 4201
Téléc. : 514 282-7530
Courriel : vml@groupevml.com
Vice-président à l'édition : Martin Balthazar

DISTRIBUTEUR :
Les Messageries ADP inc.*
2315, rue de la Province
Longueuil (Québec) J4G 1G4
Tél. : 450 640-1234
Téléc. : 450 674-6237
* filiale du Groupe Sogides inc.,
 filiale de Québecor Média inc.

VLB éditeur bénéficie du soutien de la Société de développement des entreprises
culturelles du Québec (SODEC) pour son programme d'édition.
Gouvernement du Québec – Programme de crédit d'impôt pour l'édition de livres
– Gestion SODEC.
Nous reconnaissons l'aide financière du gouvernement du Canada par l'entremise
du Fonds du livre du Canada pour nos activités d'édition.
Nous remercions le Conseil des arts du Canada de l'aide accordée à notre pro-
gramme de publication.

Dépôt légal : 2ᵉ trimestre 2014
© VLB éditeur, 2014

EXTRAORDINAIRE

David Gilmour

Extraordinaire

Traduit de l'anglais par Sophie Cardinal-Corriveau

vlb éditeur
Une société de Québecor Média

R
Gilmour

W193306

Pour Stephanie Saunders

Car comme les morts n'existent plus qu'en nous, c'est nous-mêmes que nous frappons sans relâche quand nous nous obstinons à nous souvenir des coups que nous leur avons assénés.

MARCEL PROUST

Un

Quoi? Tu savais pas que j'avais une sœur? Oui, Sally, une demi-sœur, en fait. Elle avait quinze ans de plus que moi, la fille de ma mère, d'un premier mariage turbulent. Je la voyais de temps en temps, quand j'étais jeune, mais sans doute la différence d'âge – une génération – et le fait qu'elle n'a jamais habité avec nous, faisaient qu'elle était plus comme une tante sympathique. Elle m'a tapé une fois, une petite claque d'impatience derrière la tête, quand j'avais huit ou neuf ans – j'avais renversé un vase à fleurs dans sa cuisine –, et j'ai pensé, Tu peux pas me faire ça, t'es pas ma mère. Et pourtant, ce n'était pas comme une querelle avec mon frère, ça ne se passait pas au même niveau, pour ainsi dire, qu'un pair. Parfois, ce que tu ressens pour une personne quand tu es très jeune, sa place dans le monde par rapport à la tienne, ne change jamais. Ce qui par moments a semé la confusion entre Sally et moi. Surtout plus tard.

Quand j'ai été assez conscient pour me poser des questions, Sally était déjà mariée. Comment une si charmante personne (visage long, cheveux foncés) s'est retrouvée avec un crétin comme Bruce Sanders, je ne comprendrai jamais. Mais je me dis qu'il en va ainsi de la nature des gens, même de notre famille : on ne réussit jamais à vraiment bien les connaître, même quand ils essaient de s'expliquer.

Enfin. Pendant seize ans, elle a enduré les bouderies, les silences lourds et Dieu sait quels autres moments de solitude, jusqu'à ce qu'un soir elle en ait assez ; le lendemain, Bruce Sanders se réveillait dans la chambre d'amis, les derniers mots de la veille résonnant dans ses petites oreilles : «Je te quitte.»

Elle avait peut-être mis du temps à se rendre là, mais une fois rendue, bon Dieu, elle a agi avec l'efficacité d'une guillotine. Le chemin le plus court entre deux points. Je n'étais alors qu'un adolescent, mais j'avais eu l'impression d'avoir mon premier aperçu des affaires du cœur : quand une femme en a fini avec toi, c'est vraiment fini.

Elle est partie avec Chloe, sa fille de douze ans (son fils est resté à la maison avec Bruce), a loué un studio à San Miguel de Allende, une ville brûlée par le soleil dans les montagnes au nord de Mexico, et renoué avec sa carrière de peintre – une activité pour laquelle elle avait du talent, mais dont la pratique avait été découragée par un mari qui trouvait que ces choses-là n'étaient «pas réalistes». Quelques semaines plus tard, Sally allait à un cocktail d'après-midi dans une maison sur le Callejón de los Muertos, trébuchait sur le tapis, se frappait la tête contre le foyer et se brisait le cou. Revenue à Toronto en civière, elle a passé six mois en réadaptation et le reste de sa vie en fauteuil roulant.

Belle affaire, hein ? Mais c'était une âme solide et, même avec le fauteuil roulant, les béquilles, les chutes à gauche et à droite, elle a élevé sa pré-ado pratiquement toute seule. Bruce, qui cachait mal le plaisir de voir ce que la vie avait envoyé à son ex-épouse, lui a dit : «Reviens à la maison», sous-entendant : Maintenant que t'es plus dans le coup, que *personne* d'autre voudra de toi, aussi bien revenir avec moi.

Mais la charité, non merci. Sally et Chloe ont trouvé une façon de vivre et d'être heureuses. Quant à moi, je n'étais pas souvent là, c'est le moins qu'on puisse dire. Parfois je me rendais chez elle dans le nord de la ville pour boire un coup et lui faire boire un coup, puis je disparaissais un an ou deux. La vérité, c'est que j'étais si distrait par l'échec de ma propre vie, que j'avais l'impression de ne pas avoir le temps de me donner du mal, ne serait-ce que momentanément, pour quelqu'un d'autre. Même si Dieu sait ce que j'ai bien pu faire à la place. N'empêche que les regrets me donnent encore la nausée, quand j'y pense, même après toutes ces années. Parce que je l'aimais, je l'aimais vraiment. Mais je tenais pour acquis qu'elle serait toujours là, cette ni-tout-à-fait-sœur, ni-tout-à-fait-mère, que je n'avais nul besoin de m'occuper de cette relation, d'en prendre soin comme d'un jardin. Et puis soudain, il était trop tard, de plusieurs années. Tout simplement.

Quand j'y songe, aujourd'hui, je me dis que c'est sans doute la raison pour laquelle j'ai fait ce que j'ai fait, ce soir-là, pour me racheter de toutes ces fois où j'ai tourné la tête vers le nord de la ville et me suis dit «merde», avant de continuer à m'occuper de mes petites affaires.

Est-ce que les morts nous pardonnent? Je me le demande. Je l'espère. Mais j'ai l'impression que non. J'ai l'impression qu'ils ne font rien du tout, comme une étincelle qui jaillit d'un feu de camp; ils font *pschuit* et puis c'est tout. Ce qu'ils ressentaient pour toi à la toute dernière seconde reste figé, du moins dans tes pensées, pour l'éternité. Ou jusqu'à ce que tu fasses *pschuit* à ton tour.

O

Des années ont passé. Chloe a fini l'école secondaire les cheveux verts, une dague tatouée sur son bras droit, elle est allée à l'université à Montréal avant de partir faire une maîtrise aux États-Unis. Quelques mois plus tard, Sally m'appelait tout bonnement, un soir, et me demandait de venir la voir chez elle. Et d'apporter une bouteille de vodka russe.

À la fin de la soirée, j'avais accepté de l'aider à se tuer.

Au cours des cinq semaines suivantes, j'ai pris d'assaut toutes les pharmacies de salle de bain à l'étage, dans des dîners et des soirées, jusqu'à ce que je trouve ce que je cherchais dans le grenier d'une tante adorable mais sénile. Je n'ai pas besoin de nommer le médicament. C'était un cachet pour dormir qui avait été retiré des tablettes quelques mois à peine après sa sortie. Tout un scandale. Tu le prenais avec quelques solides remontants avant de te coucher et tu ne te réveillais pas le lendemain. Fin de l'histoire. De la tienne, du moins.

Donc un soir de juin, j'ai gravi les dix-huit escaliers qui montaient derrière son immeuble, parcouru les corridors aux tapis fleuris et suis entré. Il fallait que personne ne me voie.

Des chandelles brûlaient. J'ai remarqué qu'elle s'était un peu maquillée, elle portait une robe de chambre en soie verte.

«J'ai fait une sieste cet après-midi. Je suis fraîche comme une rose», elle a dit.

J'ai répondu: «T'es magnifique ce soir.» Je suis allé dans la cuisine, j'ai fait craquer le bac à glaçons, préparé une paire de *burnt martinis* que j'ai versés dans deux verres tulipes, puis je me suis assis à côté d'elle.

Prenant le verre dans sa main un peu nouée, elle a dit: «Cheers.

— Cheers, en effet.»

Nous avons parlé de toutes sortes de choses, du nouveau maire de la ville, d'un Cézanne volé et réapparu dernièrement dans un grenier de Chicago, de cigarettes mentholées, du Dave Brubeck Quartet, de Marlon Brando, de l'arrestation de Klaus Barbie, de l'épisode final de *M.A.S.H.* Je n'ai pas fait mention des cachets ni de la raison de ma visite ; elle non plus. On aurait cru, un bon moment, à un samedi soir entre deux vieux amis, une femme de quarante-neuf ans et son frère de trente-quatre ans. Demi-frère, je sais, mais personne n'aurait pu le deviner ce soir-là.

« Si on mettait de la musique », elle a dit, ce que j'ai fait, une joyeuse compilation de chansons traditionnelles mexicaines qui, je ne sais pas pourquoi, me rappelait un incident qui était arrivé des années plus tôt ; la fois où, à quatorze ans, en secret et contre la volonté de mes parents, elle m'avait fait sortir de la maison en cachette et m'avait conduit à une petite danse de village à cinquante milles de chez moi pour voir une fille, puis était revenue me chercher deux heures plus tard. (La fille étant, pour reprendre les mots de ma mère, « une petite traînée qui sait ce qu'elle veut ».) Ça peut sembler un bien petit geste, de la part de Sally, ce trajet sur une route de campagne sombre, mais j'avais si faim de cette jeune fille, de son petit visage et de l'odeur mystérieuse tapie sous son jean que c'était – du moins, c'est ce qu'il me semblait à l'époque – une question de vie ou de mort. Et Sally, comme si elle avait encore un pied dans l'enfance, en comprenait l'importance. En comprenait l'*urgence*. Des années ont passé avant que je puisse mettre des mots sur l'intuition cruciale que j'ai eue ce soir-là, l'idée que faire une chose de façon tout à fait gratuite pour quelqu'un dont l'approbation ne nous est pas nécessaire est une épreuve de caractère extraordinairement juste. Avec le passage des années – je viens de fêter mon cinquante-huitième anniversaire –, je crois de plus en plus que le parcours d'une vie et les loyautés qui la colorent sont les fleurs qui ont poussé dans ces jardins oubliés.

«Est-ce que je t'ai déjà dit à quel point c'était gentil de ta part?» je lui ai lancé.

Sally a semblé y réfléchir, son verre dangereusement incliné sur sa cuisse. «Tu étais amoureux, elle a dit simplement.

— Je l'étais. Mais c'était *loin*.»

Elle a pris une gorgée. «J'aime ces martinis. Comment tu les fais, déjà?»

J'ai dû avoir l'air surpris, comme on l'est parfois à la fin d'une nouvelle de Tchekhov. Tu ne sais pas ce que ça signifie, ou ce que ça dit de la vie, mais tu sais que c'est la vérité. Sally ne se ferait jamais un *burnt martini*, mais elle voulait quand même savoir comment le préparer.

Dans les secondes qui ont suivi, *swoosh*, une bouffée soudaine et terrible de regret m'a envahi. Elle a semblé lire dans mes pensées parce qu'elle a dit : « Tu as été parfait. »

J'ai craint un instant de fondre en larmes et de braquer le projecteur de la soirée sur moi-même.

« J'ai pas été un très bon frère », j'ai dit.

Sa réponse a été un rire absoluteur. « Tu te reprends, aujourd'hui. Tu m'as donné ça, elle a dit en levant son verre de ses doigts noueux. Mais tu hésites. Tu n'as pas changé d'idée ?

— Non, t'en fais pas avec ça.

— Bien. Je ne veux pas m'en faire avec ça.

— Pas besoin, j'ai dit.

— Dis-toi que tu me retournes la faveur de ce soir-là, à la danse. »

Je ne savais pas comment le prendre, laisser aller ou pas. Est-ce que c'était une blague ? Bien sûr que oui, une retraite dans la légèreté. Mais pas une blague dont on pouvait rire de bon gré. Je ne savais pas où poser les yeux. Mais je me disais, Ne joue pas. Regarde-la, simplement. Je n'ai jamais été bon avec le silence, il me brise le cœur, et à ce moment-là, on aurait dit qu'elle pouvait l'entendre battre elle aussi, et une fois de plus elle est venue à ma rescousse. «Qu'est-ce qui est arrivé avec cette fille?

— Elle a rencontré quelqu'un d'autre.

— Ah», elle a dit, sans surprise mais sans condescendance non plus. Un ton de voix qui te résumait, comme un soudain reflet flatteur dans la vitrine d'une boutique.

«Paraît que c'était un très bon danseur, j'ai dit.

– Ils le sont toujours, ces amours d'été.

— En tout cas, je m'en suis remis.

— Et bien remis.»

J'ai attendu que s'estompe la petite fleur de plaisir qui venait d'éclore puis, en quête d'une forme nouvelle, plus subtile, de bonheur, j'ai ajouté : «Entre toi et moi, Sally, j'ai toujours été plus grand parleur que faiseur.»

Nous sommes restés silencieux un moment.

«L'étais-tu? j'ai demandé.

— Quoi donc?

— Bonne danseuse?

— Oh, j'adorais danser. Je dansais avec *n'importe qui.*»

Elle a regardé par la fenêtre et je pouvais la voir, adolescente, à une danse, dans un fouillis de jeunes corps et de lumières de couleurs, avec ces choses de néon dont ils nous étampaient les mains, et l'espace d'un instant je me suis demandé ce qui était arrivé à tous ces corps, tous ces *jeunes* corps, et de nouveau, j'ai été frappé par l'idée que la vie était une sacrée galère et que personne, pas même les belles personnes comme Sally, n'était jamais en sécurité.

J'ai dit : «Voudrais-tu un autre martini ?

— Oh mon Dieu, et comment ! »

Je suis allé dans la cuisine, une cuisine blanche et propre, très spacieuse. La cuisine d'une femme qui avait élevé des enfants, qui aimait avoir de l'ordre dans sa vie.

«N'oublie pas le scotch, elle a dit.

— Je l'ai déjà mis. »

Quand je suis revenu, une des bougies crépitait. J'ai soufflé dessus, trouvé une paire de ciseaux dans le tiroir du bureau, coupé la mèche et rallumé la bougie. Réinstallé dans ma chaise, j'ai remarqué que les yeux de Sally, des lacs d'encre dans un visage légèrement enflé, m'observaient avec… quoi, je n'en suis pas sûr. C'était le regard de quelqu'un qui voyait quelque chose *derrière* ses yeux. Je n'arrivais pas à déterminer si c'était bon ou mauvais.

J'ai dit : « Est-ce que je peux te demander quelque chose, Sally ?

— Oui.

— Je me posais des questions sur ton mariage, l'autre jour ».

Elle a hoché la tête comme si c'était une question qu'on lui avait souvent posée. « Quel genre de question ? elle a demandé sur un ton neutre.

— Du genre *pourquoi*. »

Elle a hoché la tête de nouveau, cette fois avec une sorte de somnolence amusée. « J'avais un œil sur quelqu'un d'autre. Le moins qu'on puisse dire. Mais je n'ai pas pu l'avoir. Ou le *garder*, du moins.

— Dis-moi. »

Je l'ai vue se retirer au fond d'elle-même puis réémerger. Elle y avait trouvé une chose qui lui faisait plaisir. « Il y avait un garçon qui allait à mon école secondaire, un cowboy aux hanches étroites. Non, c'était *vraiment* un cowboy ; il portait un chapeau à rebord, conduisait un pick-up, écoutait de la musique country et western.

— Un chapeau de cowboy ?

— Même à l'école. Il connaissait l'étiquette, quand on pouvait porter un chapeau et quand on devait l'enlever. Comme quand tu entres dans un édifice, tu enlèves ton chapeau. Mais quand tu t'assois au comptoir d'un *diner*, tu peux le garder. Un fin finaud l'a arrêté dans le corridor une fois, un joueur de hockey, et il a dit avec une grosse voix qui attire l'attention : "Hey, Tex, est-ce que je peux essayer ton chapeau ?" Il a répondu : "Bien sûr, si je peux essayer tes sous-vêtements".

— Wow.

— Il fabriquait des meubles. Des tables de cuisine, des chaises, des têtes de lit. Je me souviens d'une fois, il était si pressé d'en finir et de se ruer chez moi qu'il avait encore des copeaux de bois dans les sourcils. *Dieu* qu'il sentait bon. Tu sais ce que les Français disent au sujet de l'odeur ?

— Je sais, oui.

— Même dans le camion, je pouvais le sentir. Son torse était mince et il portait toujours des chemises de cowboy ; ç'aurait eu l'air ridicule sur n'importe qui d'autre, ces boutons en faux nacre, mais lui, on aurait dit qu'il était né pour les porter. Comme une peau. Il m'appelait Miss. Il disait : "À quelle heure tu veux que je passe te chercher, Miss ?" ou : "Faudrait te ramener à la maison, bientôt, Miss". Il s'appelait Terry Blanchard.

— L'as-tu déjà embrassé ?

— Aussi souvent que possible.

— Et puis ?

— As-tu déjà embrassé un cowboy ? »

J'ai dit : « Qu'est-ce qui lui est arrivé ?

— Il a eu des problèmes en ville. Un soir il est apparu à ma fenêtre. Il a cogné sur la vitre, puis il a dit qu'il s'en allait quelque temps mais qu'il m'écrirait. Est-ce que j'allais lui répondre ? Puis il m'a embrassée. Il y avait une grosse lune de campagne ce soir-là, la sorte de lune que tu peux presque toucher en tendant la main ; je la voyais par-dessus son épaule. J'ai dit : "Viens dans mon lit". C'est sorti tout seul, comme si je m'entendais parler dans un rêve.

« Il a glissé par-dessus le rebord de la fenêtre, dos en premier, et il est tombé sur le lit, les bottes dans les airs ; elles se découpaient contre le ciel.

« J'ai entendu ma grand-mère passer près de ma chambre. Elle a dit : "Tout va bien, Sally ?" Elle avait dû voir son camion devant la maison. J'ai répondu : "Oui, grand-maman, tout va bien. Je vais me coucher, là." Les gens de la campagne, ils sont beaucoup plus fins qu'on le croit. Je ne lui ai jamais posé de question, elle ne m'en a jamais posé, mais de temps en temps je la surprenais en train de me fixer. Tout le monde fabrique son petit secret, mais chaque génération pense qu'elle est la première à le faire comme il faut.

— Est-ce qu'il t'a écrit?

— Jamais. Pas un mot. J'allais toujours à la boîte aux lettres – elle était au bout d'un long chemin cahoteux – et je lançais des pierres sur les lignes électriques et les corneilles, même sur la boîte aux lettres elle-même, en attendant. Un vieux bonhomme et son fils faisaient la livraison du courrier en voiture. Je voyais arriver la voiture au bout de la route, là où elle débouchait à travers les champs de maïs. Walter, le fils, était sur le siège passager, son bras hâlé sorti par la fenêtre, le courrier à la main. Ils ralentissaient et j'attrapais le courrier. Je pense que Walter avait un tout petit béguin pour moi, mais sa tête avait une drôle de forme, comme un seau de peinture. C'est cruel, je suppose, mais il ne m'intéressait vraiment pas. J'attrapais le courrier et, sans même dire au revoir, je commençais à fouiller dans la pile: le journal local, des annonces pour des ventes de charité, des factures de la quincaillerie du village, même des cartes de Noël perdues depuis six mois. Je commençais pleine d'espoir, il y avait tant de choses, mais bientôt il n'y avait plus que cinq enveloppes, puis trois, puis plus aucune, et je repassais la pile au cas où je l'aie manquée.

« Mais pas une lettre. Une fois j'ai même arrêté la voiture comme elle s'apprêtait à repartir. "Êtes-vous certains qu'il n'y a rien pour moi ?" Le père a dit : "Eh bien, on peut jeter un autre coup d'œil". Ce qu'il a fait. "Peut-être demain, Sally."

« La marche du retour n'a jamais été aussi longue ; une journée chaude, les cigales qui grondaient, tous ces grands champs inutiles, et plus rien à espérer. J'ai laissé la porte-moustiquaire claquer derrière moi. Ma grand-mère a dit : "Sally, fais pas claquer la porte, tu vas me faire mourir".

« Je suis allée m'allonger sur mon lit, dans ma chambre, le papier peint parsemé de petites chaises berçantes, les champs jaunes à l'extérieur. Je me disais, Il faut que je *fasse* quelque chose, que je lise un livre ou que j'écrive dans mon journal ou que je fasse jouer un disque, puis je me voyais le faire, ouvrir la boîte des disques, sortir un quarante-cinq tours, le mettre sur le tourne-disque, le faire jouer. Mais c'était trop de travail. Comme tout le reste. Tout semblait épuisant. Je suis restée là jusqu'au souper.

« Je n'ai jamais su ce qui s'était passé. Il a simplement disparu.

— Et ta mère ? Où était ta mère, *notre* mère, pendant tout ce temps ?

— Elle était là. Quand ça lui convenait, bien
sûr. Elle arrivait parfois dans une voiture grise avec
des mouches incrustées dans le grand grillage devant, et elle m'emmenait manger un hamburger
au Tastee Freeze en ville – c'était notre rituel – puis
faire un tour de voiture sur les petites routes de
campagne, et elle me laissait allumer ses cigarettes.
Elle aimait parler. Elle savait écouter, aussi, il faut
l'avouer – si tu disais ce qu'elle voulait entendre.

«Une fois, la nuit commençait à tomber et on
était sur le chemin du retour chez mon grand-père,
je lui ai parlé de Terry Blanchard, de ce soir où il
était tombé dans mon lit. Ce n'était pas une confes-
sion, mais en parler me rapprochait de cette soirée-
là, c'était un peu comme si je la revivais.

— Et qu'est-ce qu'elle a dit?

— Elle m'a demandé si je me sentais mieux,
maintenant que j'en avais parlé. Et j'ai dit oui. Alors
elle m'a dit quelque chose que je n'ai jamais oublié.
Elle a dit: "Tu vas te sentir bien comme ça encore
un moment, puis plus tard, quand je serai plus là et
que tu seras toute seule à nouveau et que le plaisir
d'en parler se sera estompé, tout va revenir comme
avant. Et c'est normal. Souviens-toi que c'est normal.
Y a rien qui cloche avec toi." Puis elle m'a raconté

qu'elle était sortie une fois avec une vedette de Hollywood quand elle avait dix-neuf ans.

— C'était qui ?

— Je pense que c'était Errol Flynn. Elle prétendait ne pas pouvoir en témoigner personnellement, mais quelqu'un lui avait dit que son membre était si long qu'il devait l'attacher à sa jambe. Ça m'a fait rire. Drôle d'histoire à entendre de sa mère. Mais je ne sais pas. On ne pouvait jamais savoir avec elle. Elle m'a aussi dit qu'elle avait écrit une nouvelle pour *The New Yorker*, une fois. Mais je ne l'ai jamais vue. Peut-être que c'est vrai. Mais j'en doute.

— *The New Yorker* ? C'est pas rien.

— En effet.

— Est-ce qu'elle a eu raison ? j'ai demandé.

— À propos de quoi ?

— De ce que tu allais ressentir plus tard ?

— Oui. Après son départ, je regardais tout le temps l'horloge. Au bout d'une heure, j'étais bien, voire heureuse ; deux heures plus tard, même chose. Mais après le souper, je regardais la télé avec mon grand-père et j'ai senti la noirceur revenir. On aurait dit qu'une sorte de poison s'infiltrait lentement dans mon corps, comme par une horrible fissure, et toute la légèreté dont j'avais bénéficié avec ma mère s'est évanouie. Je ne pouvais pas me concentrer sur l'émission de télévision, l'écran était une sorte d'ancre qui permettait à mes pensées d'aller dans des endroits bien sombres. J'avais peur que ça paraisse sur mon visage ou que mon grand-père l'entende dans mes réponses. Il aimait parler durant les émissions de télé, mais ce soir-là ça me rendait folle, comme si j'avais quelque chose d'important à résoudre et qu'il m'interrompait avec son verbiage.

«Alors je suis allée me coucher. Mais une chose bizarre est arrivée. À l'aube, juste comme le soleil commençait à se lever, je me suis retrouvée sur le plancher. J'étais en sueur, j'avais mes menstruations, je pensais que j'allais mourir. Mourir d'un cœur brisé. Mais alors j'ai repensé à Terry Blanchard, à cette nuit où il était tombé dans mon lit, et je n'ai rien ressenti. Puis, comme si je remettais la main dans un bassin d'eau chaude pour la tester, j'y ai repensé. Rien. Je veux dire, rien du tout. Fini. J'ai pensé, Je me suis libéré de lui! C'est ainsi qu'on y arrive, qu'on se guérit de l'amour. Et peu à peu, j'ai commencé à remarquer les petites choses de la vie – un banc de neige, un nom écrit sur le mur d'une toilette – sans que tout me ramène à lui.

« C'est sans doute l'été suivant – j'avais dix-sept ans – qu'une voiture blanche cabossée a remonté notre allée et qu'un homme avec de petites oreilles et une peau marquée par l'acné est arrivé à la maison. Il était perdu, disait-il. Est-ce qu'il y avait une usine d'amiante dans les alentours ? Il était en retard pour une livraison. Pouvait-il utiliser le téléphone ? C'était Bruce Sanders. Huit mois plus tard, je l'épousais.

— Huit mois ?

— Les détails importent peu. Pas à ce moment-ci de l'histoire, mais il a été un très bon amant. Il lisait dans mes pensées. Tu es surpris ?

— Bien, oui. Oui, je le suis. »

Un souvenir d'enfance s'est retourné dans ma tête comme une carte à jouer : Bruce écrasé dans le salon pendant une fête de Noël.

« Je l'étais moi aussi », elle a dit, ses sourcils figés en une expression totalement neutre. À ce moment-là, dans cette lumière, elle avait un air asiatique. « De toute façon, a dit Sally, c'est fini, pour moi, tout ça. Fini depuis longtemps. Ça fait tellement désordre. »

Je ne savais pas quoi répondre alors j'ai regardé mon verre. Une voiture a klaxonné trois fois, dix-huit étages plus bas. J'ai entendu un avion passer au-dessus. «Je ne savais pas qu'on était si près de l'aéroport», j'ai dit.

Percevant mon malaise, et peut-être désolée d'avoir échappé ce commentaire, Sally a poursuivi. «Bruce Sanders n'avait l'air de rien, en surface à tout le moins. Il avait une coupe militaire qui lui dressait les cheveux sur la tête, comme une peau de raton laveur. Mais son petit corps était tout en nerfs, avec des marques de bronzage prononcées à force de travailler à l'extérieur. Il était très fort, étonnamment. Il y avait une puissance dangereuse dans ces bras-là. Je l'ai vu une fois poser son avant-bras sur la gorge d'un joueur de crosse local et le soulever contre le mur, les pieds ne touchaient plus le sol.

«Il y avait quelque chose chez Bruce que j'admirais, une sorte de masculinité à l'ancienne, taciturne. Ils sont rares, de nos jours, les vrais hommes. Trop de chochottes veulent donner l'impression d'être du bord des femmes.» Pause. «Ce que les femmes aiment des hommes, c'est qu'ils ne sont *pas* des femmes. Et qu'ils ne pensent pas comme des femmes.»

«Nous sommes de pauvres créatures», j'ai dit, et nous avons ri tous les deux. Nous prenions un plaisir indécent à cette soirée. Je me suis mis à penser,

Est-ce qu'on fait la bonne chose? Ou est-ce qu'on devrait faire autre chose? On parle de ce qu'on parle parce que c'est de ça qu'elle veut parler. Mais est-ce que ça va vraiment arriver? Maintenant qu'on y est? Est-ce qu'elle attend que je la retienne ou est-ce moi qui attends? Est-ce que ça va arriver parce que tous deux on attend que l'autre dise quelque chose? Et si je devais dire quelque chose, qu'est-ce que ce serait? Qu'est-ce que je *voudrais* dire? Si j'étais à sa place, qu'est-ce que je voudrais?

«Sally...», ai-je commencé, mais elle m'a fait taire d'un geste. Je n'avais pas pensé à ce moment, du moins pas tel qu'il se présentait.

Elle a poursuivi: «Cela dit, Bruce n'était pas très *habile* en société. Il boudait dans les événements mondains. Je pense qu'il ne se sentait pas à la hauteur, intellectuellement, quand on se mettait à parler de cinéma, et même des Beatles. Je ne sais pas pourquoi mais il les trouvait particulièrement énervants.

— Les Beatles?

— Il disait que la seule raison pour laquelle ils étaient les Beatles, c'était que personne d'autre n'avait la chance d'être les Beatles. Du grand n'importe quoi. Toujours est-il que ça l'agaçait quand je parlais trop dans les soirées. Quand je devenais fébrile.

Fébrile parce que j'avais un tel besoin de parler que je buvais trop, parfois, et que je devenais très, très bavarde. Ensuite il boudait pendant des jours. C'était ma punition.

«Enfin, je l'ai marié. J'ai regardé par la fenêtre de ma chambre un après-midi et j'ai vu tous ces champs plats et j'ai pensé, Pourquoi pas. On a eu un mariage dans une petite église de campagne avec un cimetière qu'on pouvait voir depuis les bancs. Après, on est allés à une fête au village. Tu sais pourquoi? Parce que quelqu'un prétendait avoir vu Terry Blanchard devant la quincaillerie et qu'il serait peut-être à la fête. Comme c'est pathétique. Mon Dieu, qu'est-ce qui a bien pu me passer par la tête. Aller à une fête le soir de mon mariage parce qu'un autre homme pourrait y être! Moi qui pensais en avoir fini avec lui.

— Est-ce qu'il était là?

— Non, Dieu merci. Mais je n'ai pas pu me détendre avant d'en être certaine. Je tournais la tête à chaque fois que quelqu'un entrait. Je suppose que c'est le signe que tu es avec la mauvaise personne – quand tu passes ton temps à regarder qui entre dans la pièce. Ce n'était pas si mauvais, comme fête, quand t'avais assez bu. Ce qui était mon cas.

— Est-ce que les choses se sont arrangées ?

— Ton corps te fait toujours savoir que tu es à ta place – ou que tu ne l'es pas. Parfois, au souper du dimanche chez les parents de Bruce, des gens tout à fait corrects, en passant, très terre-à-terre, cette sensation me prenait, une sensation qui disait tout simplement, *Ta place n'est pas ici, ces gens ne sont pas les tiens.*

— Est-ce que tu les as trouvés, les tiens ?

— Oui.

— Qui ?

— Toi. Entre autres.

Après une pause, j'ai demandé : « Dis-moi que tu as eu une bonne vie, Sally.

— J'ai eu de la chance, sous bien des aspects. Seulement, je l'ai épuisée bien vite. Mais oui, j'ai eu une bonne vie.

— Avec des moments heureux ?

— Beaucoup, elle a dit sans hésiter. Comme tout le monde.

— Comme quoi ?

— Laisser mon mari. J'ai apprécié.

— Est-ce que ç'a été précipité ou progressif ? j'ai demandé.

— Qu'est-ce que tu veux dire ?

— Ta décision de le quitter. Ç'a pris du temps ?

— Des années. T'es sûr que ça t'intéresse, tout ça ?

— Absolument.

— Il y a quelque chose d'abrutissant, dans la déception. Il faut agir vite sinon le temps se met à galoper.

— T'aimerais Tchekhov.

— Peux-tu mettre un glaçon là-dedans ? Mais n'ajoute pas de vodka. Je vais passer mon temps à aller faire pipi.

— Comment vont tes jambes ?

— Comme toujours. Mais seulement le soir.»

Je suis revenu de la cuisine. «Voudrais-tu éteindre la lumière là-bas ?» elle a demandé.

Je suis revenu sur mes pas et j'ai éteint la lumière.

«Où est-ce que j'en étais ?» Ses pensées avaient dérivé. «Ah oui. J'avais maintenant deux enfants, Chloe et Kyle. On habitait une étroite petite maison à Toronto. Un endroit charmant. J'avais décoré moi-même. C'était mon anniversaire, je fêtais mes trente-trois ans. Oui, oui, je sais ce que tu vas dire : l'âge du Christ. Je ne voyais pas les choses aussi pompeusement. Même si j'ai eu droit à une grosse année. Les enfants étaient assez grands pour se garder, et ce soir-là, Bruce m'a emmenée dans un restaurant italien ; un nouvel endroit que j'avais vu dans un magazine.

« Notre table n'était pas prête alors on nous a installés au bar. On a bu un martini en regardant la salle à manger, tous ces gens qui mangeaient, baignés dans cette belle lumière cuivrée, quand soudain, je n'en croyais pas mes yeux, là, à peine dix pieds devant moi, se trouvait Terry Blanchard. J'avais entendu dire qu'il travaillait au Moyen-Orient pour une compagnie de pétrole. Mais non, il était là. Il était assis avec une femme bien en chair, le genre de femme dont on entend les bas de nylon s'étirer quand elle traverse une pièce. Confiante. Loquace. Terry l'écoutait. Et je pensais, Impossible qu'il l'aime.

— Il était comment ?

— Magnifique. Ces hommes vieillissent si bien. Il était très élégant, cravate, chemise blanche. Et j'ai eu cette pensée ridicule, l'espace d'un éclair, qu'il avait su qu'on allait se voir et qu'il s'était, tu sais, endimanché. Est-ce que vous dites ça, ta génération, "endimancher" ?

— Pas vraiment. Mais je comprends ce que tu veux dire.

— En tout cas, je sais que c'est n'importe quoi, mais c'est ce que j'ai pensé. Pendant ce temps, j'entendais Bruce mastiquer son olive et respirer par le nez.

— As-tu dit quelque chose?

— Non. Je n'arrêtais pas de jeter des mini coups d'œil dans sa direction. Et je pense qu'il faisait la même chose avec moi, mais nos regards ne se sont jamais croisés.

— Pourquoi tu n'es pas allée lui parler?

— Trop gênée.

— Trop gênée?

— Non, ce n'est pas ça. La vérité c'est que je ne me sentais pas particulièrement belle. J'avais l'impression d'avoir pris du poids, qu'il y avait quelque chose d'empoté dans mon apparence et qu'il serait déçu. Mais je voulais que *lui* vienne me parler, j'avais l'impression que la peau de mon visage se tendait au maximum, comme si je faisais face au vent. C'était affreux. Mais assez excitant, aussi.

— Et puis?

— C'était incroyable de voir tout ce dont je me rappelais à son sujet, sa chemise, ses aisselles, même le bran de scie dans ses sourcils. J'étais surprise de constater à quel point c'était net, immédiat.

À quel point c'était *hier*. L'impression qu'il avait laissée dans mon cœur la dernière fois que je l'avais vu était restée inchangée.

— Ça t'a rendue triste?

— Non. J'avais la tête qui tournait, j'étais euphorique. Je ne sais pas pourquoi. Mais je voulais le dire à quelqu'un. J'aurais voulu être avec quelqu'un d'autre que Bruce pour pouvoir chuchoter: "Tu vois l'homme là-bas…" Puis raconter l'histoire.

— Ensuite, qu'est-ce qui s'est passé?

— Ensuite il a disparu. La table était vide. Serviettes sur la nappe, verres à moitié vides, le serveur qui débarrassait. À ce jour, je ne sais pas comment j'ai pu manquer leur départ.

— Est-ce que tu l'as revu par la suite?

— Je suis retournée au restaurant quelques fois. Seule. Je m'assoyais au bar cuivré. Mais je ne l'ai jamais vu. J'ai toujours été curieuse, toujours voulu lui demander: "À quoi pensais-tu quand tu m'as vue, de quoi te souvenais-tu?"

— Ouf.

— Bien, oui et non. À cause de ce qui s'est passé par la suite. À peine quelques semaines plus tard. Je ne suis pas certaine que ça se serait produit si je n'avais pas rencontré Terry Blanchard dans un restaurant le soir de mes trente-trois ans.» Après un moment de réflexion, elle a poursuivi : «On avait été invités dans un cocktail à Forest Hill. Je ne me souviens plus qui nous avait invités. Mais c'était pompeux, comme affaire. Pas vraiment notre milieu. J'étais excitée d'y aller. J'ai toujours aimé être de sortie.

Être de sortie. Typiquement Sally, comme expression.

Elle a continué : «Il y avait beaucoup d'hommes et je recevais beaucoup d'attention, une chose qui se produisait souvent. Je ne me vante pas. J'étais une belle femme.

— Tu l'es toujours.»

Elle s'est délectée un instant avant de reprendre. «Je discutais dans un coin avec un homme que j'avais rencontré ce soir-là. Il s'appelait Marek Grunbaum. Beau, du type police d'État d'Europe de l'est. Le genre de visage qui cogne à la porte chez toi à trois heures du matin, et ta femme te revoit plus jamais. Mais il n'était pas du tout comme ça. Sauf que, oui, il avait une usine qui fabriquait des pièces d'auto. C'était évident, grâce à la bague sur mon doigt, que j'étais mariée, mais il était manifeste aussi que ça ne l'embêtait pas le moins du monde.

«Il avait un magnifique mouchoir rose dans la poche de sa veste, et des manières si élégantes, cette capacité de suggérer que tout le monde dans la pièce était digne d'attention mais que toi tu l'étais *plus* que quiconque. De la poudre aux yeux, sans doute, mais difficile d'y résister, c'est indéniable. Qui n'est pas *conquis* par une attention absolue?

«J'ai remarqué qu'il lançait des regards discrets dans la pièce où nous étions. Qu'est-ce qu'il cherchait? Avait-il une épouse jalouse? C'est alors que j'ai compris ce que c'était.

— Quoi donc?

— Il voulait voir de quoi *avait l'air* mon mari. Mais il était confus parce que, en scrutant la foule, il ne trouvait personne qui pouvait donner l'impression d'être mon mari. Je voyais ses yeux passer du mari anglais de notre hôtesse à un politicien local, puis à un joueur de hockey à la retraite qui était très en vogue dans ce cercle. On aime adopter des gens, à Forest Hill, des athlètes, d'anciens prisonniers, des prêtres, des écrivains – des créatures d'une autre étoffe. Ça dure un temps, puis le cercle se referme. Enfin, Marek ne s'est pas arrêté, pas une seconde, sur Bruce, qui portait une chemise verte et qui s'appuyait d'un bras sur le manteau de la cheminée, la veste ouverte sur sa petite bedaine. Qui s'appuyait et me transperçait du regard. Les yeux mi-clos comme un reptile. Je devenais lentement nerveuse. Je pensais, Oh oh, il est fâché contre moi ; il va bouder dans la voiture, il va sortir du lit demain matin et s'asseoir sur le divan en bas de pyjama puis fumer des cigarettes et s'éclaircir la gorge. *Non, non-non, y a rien.* Puis je vais m'agiter en tous sens, gazouiller comme un oiseau, essayant de l'amadouer pour changer son humeur. Mon Dieu, il n'y a rien qui peut créer le dégoût de soi comme de t'excuser pour quelque chose que tu n'as pas fait. La personne que tu finis par détester, c'est toi-même.

« Je lui ai fait signe de s'approcher. Je pensais que ça rendrait les choses transparentes, innocentes. Je les ai présentés. "Marek, voici mon mari." Marek a posé quelques questions. Simple politesse. Est-ce qu'il travaillait dans le coin, depuis quand habitait-il Toronto, quel âge avaient nos enfants ? Mais la balle ne lui revenait jamais. Bruce se tenait là, verre à la main, oui, non, à regarder le contenu de son verre comme s'il attendait que fondent les glaçons.

« Ça a fonctionné. Ce n'était pas sa première fois. Il savait la faire, cette bulle toxique. Elle a éloigné Marek. En quelques secondes, tout était parti.

Marek a tout emporté avec lui quand il s'est éloigné. Je restais derrière, avec cet homme au visage écarlate dont la veste lui remontait dans le dos.

«J'ai jeté un œil par-dessus son épaule, espérant que Marek regarde dans ma direction ou qu'il attende de revenir. Mais non – il avait atterri dans un tas de femmes d'âge moyen, joueuses de tennis, riches, élégantes, tactiles. Il leur appartenait, maintenant.

— Ensuite?

— Nous sommes rentrés peu de temps après, Bruce et moi. Mais quelque chose de miraculeux s'est produit dans la voiture. Comme si un virus avait enfin éclos. Je n'ai pas préparé la phrase, pas pensé à ses implications. Mais elle a tout de même trouvé son chemin jusqu'à ma bouche. J'ai dit : "Je ne t'aime plus".

«Le reste du chemin s'est fait en silence. Je suis entrée dans la maison et me suis précipitée dans la cuisine. Quand il est entré derrière moi, j'ai sorti un couteau à steak du tiroir. Je n'ai rien dit. Je me suis simplement retournée, debout avec le couteau à steak à la main. Et c'était terminé.»

Une petite cloche a tinté au bout du corridor et les portes de l'ascenseur se sont fermées bruyamment.

«Tu me le dis si je parle trop.

— Vas-y. Je t'en prie.

— J'ai déménagé dans un appartement jaune avec mes enfants et je me suis trouvé du travail dans une galerie d'art. Une boutique dans Yorkville à côté d'un bistrot français. Avoir un endroit où aller tous les jours, des gens à qui dire bonjour – ces merveilleuses conversations pétillantes, frivoles, à propos de rien du tout –, avoir mon propre chèque de paye. Je n'avais pas été aussi heureuse depuis des années, peut-être depuis le début de ma vie adulte. Et il n'y avait personne pour me rendre nerveuse.

— Et Marek ? j'ai demandé.

— Ah, Marek, elle a dit en se calant dans sa chaise. Je ne crois pas en Dieu mais si j'y croyais, je dirais que l'arrivée de Marek Grunbaum avec son mouchoir rose ce soir-là, c'était Dieu qui me disait : "Je t'ai négligée. Voici un cadeau pour me faire pardonner." Il avait une femme et trois enfants qui l'adoraient. Il a vaguement évoqué l'idée de laisser sa femme, mais nous savions tous deux qu'il ne le ferait pas, que j'étais la dernière entrée sur la liste courte mais piquante de ses maîtresses. Ça ne me dérangeait pas. Le seul fait de savoir que tous les jeudis j'allais entrer dans ce bistrot, m'asseoir à la même table,

notre table, siroter deux martinis frappés et une bouteille de vin puis rentrer à la maison et baiser, le seul
fait d'attendre ce moment-là rendait toute la semaine
parfaite. J'espère que ce n'est pas trop grossier.

— Non. Pas du tout.

— Il y avait deux hommes gais qui vivaient en
bas. Sean et son compagnon, Peter. Ils s'inquiétaient
pour moi. Est-ce que je m'ennuyais? Est-ce que
j'étais malheureuse d'être avec un homme marié?
Est-ce que j'avais assez d'argent? Quelle blague, non?
Le seul moment dans ma vie où je n'avais *pas* à
m'inquiéter! C'était comme si un voile gris entre
moi et le monde avait été soulevé et que je pouvais
le voir nettement, désormais.

«Un jour, je finissais de rembourrer un canapé
– Sean me l'avait donné – et je me suis retrouvée
avec quelques rouleaux de tissus en trop. Pour le
plaisir, en regardant la télé, j'ai pris une paire de ciseaux et j'ai découpé la forme d'un voilier, un voilier bleu, et je l'ai collé sur un carré de tissus jaune.
J'ai mis un mât et un soleil et un gros espadon qui
sautait dans les airs. Puis je l'ai accroché au-dessus de
la cheminée.

«Peter Ungster, mon voisin, est monté un soir
pour m'emprunter un ouvre-bouteille et il a remarqué

le tableau. Il s'est attardé devant avec une expression confuse sur le visage. "Où est-ce que t'as trouvé ça?" il a dit. (Il parlait un peu comme Truman Capote, comme un marsouin somnolent. Comment il a pu survivre à une enfance dans une ville minière du nord de l'Ontario reste un mystère. Mais c'est une autre histoire.) "Est-ce que c'est à *vendre*? il a demandé, la tête inclinée. Je pensais qu'il en mettait un peu trop, pour encourager la veuve et son nouveau petit hobby, mais il m'a fait un chèque de vingt-cinq dollars et il est rentré chez lui avec l'espadon. Tu n'oublies jamais un moment comme celui-là, la première fois que tu vends une chose que tu as faite. L'argent change tout, l'argent *te* change.

«Son compagnon, Sean, connaissait une femme qui avait une boutique de choses pour enfants: des jouets, des tableaux, des marionnettes, des animaux en peluche. Elle a vu le voilier puis elle en a commandé cinq de différentes couleurs. Un voilier rouge, un voilier vert. J'ai mis une lune au-dessus, un poisson-volant qui passait par-dessus la proue, une lanterne sur le mât. Bien vite j'avais deux adolescentes qui travaillaient pour moi, à faire le découpage, la teinture, l'emballage. J'en ai gardé un, en souvenir. Il s'est un peu décoloré – c'est à cause du soleil qui entre par la fenêtre –, mais il est là. Oui, c'est ça, au-dessus du buffet.»

Une baleine bleue me faisait un clin d'œil espiègle depuis l'embouchure d'un lagon.

«Et le travail à la galerie?»

Elle s'est penchée en avant, dans une bouffée d'enthousiasme. «C'était un moment dans ma vie où on aurait dit que j'avais tout bon. Les événements s'enchaînaient, comme des notes de musique. La plupart des gens qui travaillent dans le monde de l'art ne te veulent pas du bien, surtout si tu pars pour faire quelque chose d'artistique. Ils veulent te voir échouer, ça rend leurs vies moins sinistres. Je comprends, et je m'y attendais. Faces longues, amères. Mais je suppose que la vie m'avait envoyé suffisamment de merde pour le moment. Ils m'ont fait une fête à la boutique. Une petite fête. Marek Grunbaum s'est présenté en costard couleur crème. Il était splendide. Un mouchoir rose bouffant dans la poche de sa veste. C'était comme s'afficher au bras de son petit ami à une danse de l'école secondaire. Il m'a ramenée à la maison ce soir-là et je me souviens d'avoir regardé par la fenêtre de la voiture tandis que nous roulions à travers la ville, devant les édifices du Parlement, devant le parc avec cet homme sur un cheval, et je me souviens de m'être dit, Je ne serai jamais aussi heureuse qu'en ce moment même.

— Est-ce que c'était vrai ?

— Quoi donc ?

— As-tu été aussi heureuse depuis ?

— Bien sûr que oui. On n'est jamais heureux *qu'une seule fois* dans sa vie. La vie n'est pas faite comme ça.» Elle s'est tue un instant. «Prendrais-tu un petit Drambuie avec moi ? La bouteille est dans l'armoire au-dessus du frigo. Oui, là, juste derrière ta main. Pourrais-tu le réchauffer ? Verse-le dans les petits verres puis mets-les quelques secondes dans le micro-ondes.

— Est-ce que Marek aimait le Drambuie ?»

Aucune réaction. Puis les sourcils se sont soulevés. «Marek aimait tout. C'est merveilleux d'être avec un homme qui adore le corps des femmes. Le moindre pouce carré. Mais attends.» Elle a pointé du doigt le micro-ondes. «Oui. Trente secondes, ça devrait suffire.

— Est-ce que c'est trop chaud ?

— Non, c'est parfait. Sens-le. J'avais cette bouteille en réserve pour un jour pluvieux.»

Je me suis rassis. Il était onze heures.

«Mes petits voiliers avaient du succès. Je suis allée dans un salon d'artisanat à Memphis. Un représentant d'une assez grande chaîne de magasins américains a vu mon travail et il a acheté ma petite affaire. C'est ce que j'aime des Américains, leur façon de faire des affaires. Ils entrent, jettent un coup d'œil puis te font un chèque. Aucune hésitation. Me voilà soudain avec une tonne d'argent et deux adolescents. Que faire?

«Peter Ungster essayait un nouveau chapeau devant mon miroir quand il a dit avec sa drôle de voix : "Pourquoi t'irais pas vivre au Mexiiique? Y a une colonie d'artistes à San Miguel de Allende. Je sais, c'est n'importe quoi, et y a vraiment *plein* de n'importe quoi là-bas, mais pas juste ça. Tu pourrais t'ouvrir une petite boutique – tu pourrais peindre –, faire tout ce que tu veux. Leonard Cohen habite là-bas. En tout cas c'est ce qu'on *dit*. Personne ne l'a jamais *vu*. J'avais un ami là-bas, un collectionneur d'antiquités, *soi-disant**[1], mais finalement tout ce qu'il cherchait c'était un petit Mexicain pour le prendre par-derrière et le laisser pour mort. Ce qui

---

1. Les expressions suivies d'un astérisque sont en français dans le texte.

est pas loin de ce qui lui est arrivé. Mais ça, c'est une autre histoire."

«J'y suis donc allée. San Miguel est une belle ville à neuf mille pieds dans les airs avec une majestueuse cathédrale en plein milieu. Quelqu'un au bar La Cucaracha m'a dit qu'elle avait été conçue simplement à partir d'une carte postale européenne. Mais les gens commencent à boire de bonne heure dans ces petites villes et ils inventent des histoires. Un coup, ce n'est pas vrai, le coup d'après ce l'est. Tout le monde s'en fout.

«J'ai amené Chloe avec moi; elle avait douze ans. Je ne pouvais pas la laisser avec Bruce. Ç'aurait été comme la laisser dans une émission de télévision en noir et blanc. Et puis elle voulait venir. Elle était très aventurière. Elle ne tenait pas en place.

— Qu'est-ce que Bruce a dit?

— Il m'a menacée de poursuites. Mais je l'ai pris au mot. Il ne m'impressionnait plus. J'ai dit: "Okay, Bruce, je vais la laisser ici avec toi". Ça lui a donné la trouille. Il n'était pas méchant; c'est juste qu'il ne voulait pas que j'aie mon gâteau *et* que je le mange. Comme si tu ferais *autre chose* que le manger, ton gâteau. Mais l'idée d'une ado dégingandée, sans cesse affamée, dépensière, théâtrale, monopolisant le téléphone et dévalant l'escalier avec quelques-unes de ses amies, le terrorisait.

— Alors il a plié ?

— Comme une chaise de patio. En fait, il m'a *donné* de l'argent. Il prétendait que c'était pour Chloe mais je pense que c'est parce qu'il voulait *s'assurer* qu'elle parte.

— Puis son frère, Kyle ? Qu'est-ce qui s'est passé avec lui ? »

Son visage s'est assombri. «Tu la connais, cette histoire, elle a dit doucement. J'ai fait une erreur. J'avais une telle soif de bonheur que j'ai fait une erreur.» Elle a regardé vers la fenêtre.

J'ai dit : «On n'est pas oblig…», mais elle a continué.

«Kyle avait dix-sept ans. Il voulait rester avec ses amis. Et je ne voulais pas non plus tout enlever à Bruce. J'avais peur qu'il se tue. Mais j'aurais dû essayer, j'aurais dû insister.»

Je la voyais sombrer dans un nuage de douleur. J'ai dit : «Est-ce qu'il savait, pour Marek ? »

Sally n'était plus avec moi, puis elle est réapparue. «Qui ? Kyle ?

— Non, Bruce.

— Je lui ai fait comprendre de ne pas m'attendre. C'était vraiment par gentillesse. Un soir il se traînait les pieds dans mon appartement jaune en attendant que Chloe ramasse ses affaires pour le week-end. Je l'ai installé dans la cuisine, lui ai mis un scotch dans la main et j'ai dit : "Il y a une chose que je veux que tu comprennes. Même si cette histoire avec Marek Grunbaum tombe à l'eau, même si ça ne marche pas avec celui qui viendra *après* lui, jamais, peu importe le contexte, je ne reviendrai avec toi."

— Sapristi.

— Il avait besoin de l'entendre. Bruce était un de ces hommes, tu connais le genre : une femme les laisse, puis ils prennent un air à la fois confus et blessé, comme si toute cette histoire était un *problème psychiatrique**. Un coup de folie qui pourrait probablement disparaître aussi vite qu'il est venu. Tu sais ce qu'ils disent : *Ma femme est devenue folle mais je suis patient.* Ils oublient que ça fait des années que tu les détestes. Ils oublient le fait que t'as un nouvel ami, vingts livres en moins, de nouveaux vêtements et une coupe de cheveux dernier cri.

— Est-ce qu'il t'a crue ?

— Il m'a regardée, les yeux mi-clos, puis il a dit : "Je suis pas pressé". C'est là que j'ai été méchante.

Je le regrette. Un peu. Non, je ne le regrette pas. J'ai dit : "Pour l'amour du ciel, Bruce, tu passeras pas le reste de tes jours à te branler !"

« Chloe et moi sommes parties vers Mexico, et nous avons pris un autobus pour nous rendre à quelques centaines de milles au nord, traversant le désert pour gravir les montagnes. Un ami de Peter, Freddie Steigman, nous attendait à la gare d'autobus. C'était un New-Yorkais, un retraité, trente-cinq ans chez Allstate Insurance. L'ancien colocataire d'Edward Albee. Quand ils étaient dans la vingtaine. Albee était poète, alors, mais pas très bon, apparemment. Tu le connais ?

— Le gars de *Who's Afraid of Virginia Woolf ?*

— Lui, oui. Quand il a pris sa retraite, Freddie est venu en vacances à San Miguel. Mais il est tombé amoureux d'un petit Mexicain qui s'occupait de la piscine de l'hôtel. Le garçon a disparu après quelques semaines, mais Freddie est resté. »

La bougie crépitait. Sally l'a regardée un moment, les paupières lourdes. Se préparant à quitter la fête.

« Il était comment, Albee ? » j'ai demandé.

Deux

Elle a quitté la bougie des yeux. «On va la faire, cette chose?

— Oui.

— Et tu vas rester?

— Bien sûr que je vais rester.»

Alors j'ai pensé, Rien n'arrive comme tu l'avais prévu. Et ce soir ne fera pas exception. Je sais quelle tournure ne prendront pas les événements. Mais la tournure qu'ils prendront, je ne la connais pas. C'était quoi, le plan, déjà? La montée des dix-huit volées d'escaliers, la brève marche dans le couloir, l'arrivée dans l'appartement. Mais après? Je n'arrive pas à me souvenir. Qu'est-ce que je pensais qui allait se passer *après* l'appartement? Le jour suivant, la semaine suivante. L'année suivante. Cinq ans plus tard. Sans doute avais-je dû y penser: que la fin de quelque chose n'était pas nécessairement la fin de cette chose. Un homme entrouvre les rideaux un matin et découvre qu'une planète *entière* tournoie de l'autre côté de la vitre. Ah, je *vois*.

Sally a regardé la bougie de nouveau, hochant la tête. «De quoi est-ce qu'on parlait?

— Edward Albee.

— Quelqu'un a posé la question à Freddie un soir qu'il était entouré de sa cour au Cucaracha bar. "Si l'homosexualité n'avait pas existé, Albee l'aurait inventée", a dit Freddie.» Sally a souri affectueusement. «C'était évident qu'il l'avait déjà dit auparavant. Un autre Drambuie, s'il te plaît.»

À la porte de la cuisine, je me suis retourné. «Il faut que j'allume la lumière. Ferme tes yeux.»

○

Installée avec son petit verre de brandy qui brûlait comme de l'or bruni au creux de sa main, elle a continué. «Freddie Steigman s'habillait comme un vendeur un peu miteux des années 1950. Gros accent new-yorkais. Un visage moitié bull-dog, moitié gant de baseball. Il adorait boire. Il portait une veste de lin bleu poudre tous les jours de l'année. Il en avait deux ou trois, toutes froissées exactement de la même façon, et une chemise blanche mexicaine qu'il portait déboutonnée pratiquement jusqu'à la taille. Il me rappelait le professeur d'histoire à la retraite dans *The Catcher in the Rye*. Sauf qu'il était attachant, il était tendre, adorable, une fine lame toute en os qui se croyait encore dans le coup.

«Et il *l'était*. Une fois par mois, Freddie prenait le bus jusqu'à Mexico, payait le plus beau garçon qu'il pouvait trouver dans le *red light*. Il payait bien, ne se faisait jamais tabasser puis il revenait le lundi suivant le pas léger et intéressé par absolument tout. Je l'*adorais*.

«Freddie connaissait tout le monde à San Miguel et il aimait connaître tout le monde. Il m'a trouvé une sous-location dans un rez-de-chaussée, avec un vieux piano que quelqu'un avait abandonné, une terrasse et une vue sur les montagnes. Quand quelqu'un me demandait où j'habitais, je disais : Callejón de los Muertos. La rue des lanternes mortes. J'aimais comment les mots roulaient sur ma langue.

Trois semaines après mon arrivée, Freddie a donné une fête en mon honneur.

«Les événements de cette journée n'ont pas perdu la moindre goutte de couleur. Ils sont nets, comme le monde nous apparaît quand on refait surface après avoir nagé sous l'eau. Je devais sans doute être particulièrement attentive. Pourquoi? Je ne sais pas. À moins de croire à ces histoires. J'ai repassé les détails dans ma tête un million de fois. Parce que si j'avais fait la moindre chose différemment, si j'avais pris *cette* rue plutôt que *celle-là*, si j'avais attendu plus longtemps dans la file à la fruiterie, ce qui est arrivé ne serait pas arrivé. C'est comme revoir *Roméo et Juliette*: même si tu connais l'histoire par cœur, t'espères toujours que, *cette* fois, le frère va réussir à envoyer sa lettre à Roméo.

«Je suivais un cours de dessin en matinée à l'Institut. Nous dessinions une jeune Mexicaine aux seins nus, avec un grain de beauté sur l'épaule droite. Il y avait un espace entre ses dents de devant et tu voyais à sa façon de sourire que ça la gênait. Après le cours, certains étudiants, surtout des filles, restaient pour parler au professeur, un Français qui fumait des Gauloises avec un porte-cigarette ridiculement long. Mais j'avais des choses à faire. J'ai acheté des fruits pour la fête au *mercado*, puis j'ai rencontré Jan Trober pour un café au Cucaracha. C'était une actrice de New York qui s'était installée à San Miguel après que sa carrière se soit effritée et que son mari l'ait laissée. Nous nous sommes assises à une table sur le trottoir pour pouvoir regarder les gens sur la place. Les garçons marchaient en rond dans un sens, les filles marchaient en rond dans l'autre ; les uns scrutant les autres. C'était beau à sa façon, de cette façon dont la vie fonctionne.»

La bougie a crépité, puis elle s'est éteinte. Nous étions assis dans le silence et dans le noir. Au bout d'un moment j'ai dit : «Veux-tu que j'allume une autre bougie ?

— Non, restons comme ça un instant.»

Dans le corridor, des voix parlant un dialecte indien sont passées devant la porte. Il fera sombre, ici, demain, j'ai pensé. Et pour quelques autres nuits encore ; puis tout sera différent. Tu crois que les choses vont être d'une certaine façon par la suite, et puis tu découvres, comme Macbeth, qu'elles sont différentes. Outrageusement différentes. Le geste, ou plutôt son empreinte, *devient* ce que tu es.

Comment ai-je pu être aussi naïf ?

«Au Mexique, dans les montagnes où j'habitais, j'avais l'impression d'avoir quitté un pays où il pleuvait sans cesse», a dit Sally. Et on aurait dit que je l'avais entendue penser, qu'elle n'avait pas eu besoin de prononcer ces mots.

Une porte a claqué et les voix indiennes ont disparu.

Et Sally, où sera-t-elle? Je veux dire, physiquement. Une autre chose extraordinaire à laquelle je n'avais *pas* pensé, me semblait-il. Parce qu'on ne s'évapore pas simplement dans l'air quand on meurt; on va d'abord en d'autres endroits, et ce n'est pas toujours plaisant.

Dans le noir, elle a continué. «Freddie vivait sur une petite rue venteuse, pavée, à quelques pâtés de maisons de la cathédrale. Il trouvait réconfortant, disait-il, d'avoir toute cette rédemption à portée de main. Il avait invité tous ses amis à cette fête. Au coucher de soleil, sa terrasse avait des airs de Fire Island. Ces bronzages, ces biceps, ces dents blanches. Il y avait d'autres personnes aussi. Un Britannique avec une moustache de pirate, une rock star d'un groupe californien des années 1960, une poignée d'écrivains alcooliques qui avaient passé leur matinée au Cucaracha à parler de leurs doctorats jamais finis. Il y avait un grand Canadien mystérieux qui ne voulait pas être pris en photo. Certains croyaient qu'il était dans la CIA. Moi je pense que la vie torontoise l'avait malmené et qu'il essayait de se rendre intéressant. Il y avait un ambassadeur australien à la retraite – avec une aura de scandale, je ne me souviens plus ce que c'était.

«Ah oui, et des divorcées! Mon Dieu, tant de divorcées. Des femmes aux cheveux courts dont les enfants étudiaient dans la Ivy League. Pour elles, San Miguel était le dernier arrêt en chemin vers l'océan Pacifique. Leur dernière chance pour danser un slow. Même si ça voulait dire coucher avec le jardinier la nuit et le laisser regarder la télé près de la piscine toute la journée. C'étaient des *transactions*, oui, mais ça ne veut pas dire qu'elles étaient sans tendresse, ni même sans amour. Et puis de toute façon, un corps bienveillant dans le lit, ça se prend comme ça vient; après un certain âge, tu ne veux pas savoir pourquoi il est là.

«Je coupais des limes dans la cuisine avec Freddie quand j'ai reconnu une voix dans l'autre pièce. C'était une amie de Toronto qui passait par San Miguel, elle s'était arrêtée au Cucaracha pour boire un verre et quelqu'un lui avait parlé de la fête de Freddie.

«Je l'ai entendue dire: "J'espère que ça ne vous gêne pas que je débarque comme ça". Je suis sortie de la cuisine et je venais tout juste de traverser le salon quand j'ai trébuché sur le tapis, me suis frappé ma tête contre la cheminée et brisé le cou.

«Je ne savais pas alors qu'il était brisé. Mais je savais que quelque chose de grave venait de m'arriver parce que j'avais entendu un bruit que je n'avais jamais entendu auparavant. J'ai parlé à d'autres personnes qui se sont brisé le cou et ils disent la même chose : ce seul bruit te dit que ta vie ne sera plus jamais la même.

«Je suis restée là je ne sais combien de temps. Des têtes apparaissaient et disparaissaient au-dessus de moi, mais tout ce temps mon corps n'était capable de produire qu'une seule sensation, et cette sensation n'était pas de la douleur, c'était de l'effroi, l'impression que quelqu'un cogne au plafond à l'étage en dessous, *Ceci est une très mauvaise chose, une très mauvaise chose, une très mauvaise chose.*

«Les voix dans la pièce se sont tues, comme si on avait enlevé l'aiguille de sur le disque, et ça m'a fait peur. Et j'ai eu l'impression d'entendre Bruce respirer par le nez et dire à quelqu'un : *Elle l'a cherché.*

«Puis j'ai entendu d'autres voix, le genre de voix qu'on entend à la télévision. "Faut pas la bouger, faut pas la bouger." J'ai pensé, même là, sur le sol, que si j'avais l'impression que les voix sortaient d'une télé, c'était parce *qu'elles sortaient* de la télé. Comme "Fais bouillir de l'eau". Y a toujours quelqu'un à la télé qui ordonne de faire bouillir de l'eau.»

Elle a soupiré puis, après une pause, elle a dit : «On devrait allumer une autre bougie maintenant. Il y en a une boîte près du Drambuie. Au-dessus du frigo. Elles sont en cire d'abeille.»

J'ai pris une bougie rouge, lui ai enlevé son emballage de papier fin et l'ai mise sur la table entre nous.

«Il n'y a pas de paraffine dans les bougies de cire d'abeille, a dit Sally. Elles sont meilleures pour la santé. Plus d'ions. Ou moins. Un des deux.»

J'ai allumé la chandelle avec une longue allumette de cuisine. Nous avons regardé la mèche changer de forme graduellement tandis que la flamme prenait et diffusait de la lumière. J'étais épuisé, soudainement.

«C'est incroyable, non? elle a dit.

— Quoi?

— Que des gens soient cruels au point de pouvoir brûler vif un autre être humain?

— Mon Dieu.

— Tu sais de quoi je parle. De *qui*, plutôt.

— Oui.

— Pauvre petite. Quel âge elle avait, quatorze ans ?

— Quelque chose comme ça.

— Vas-tu passer la nuit ici ? Avec tout cet alcool, je vais devoir aller au petit coin.

— Bien sûr.

— Ne pars pas avant moi.» Elle a souri à sa propre blague.

J'ai ouvert la bouche pour répondre mais rien n'est sorti.

«Quand les gens me posent des questions sur mon accident… ? elle a dit, sa voix s'élevant à la fin de la phrase comme pour une question.

— Oui.

— Comment je me suis cassé le cou à une fête ?

— Oui.

— Ils ne le disent jamais, mais je *sais* qu'ils supposent toujours que j'étais saoule.

— Vraiment ?

— Je pense même qu'ils *espèrent* que je l'étais.

— Pourquoi donc ?

— Parce que ça rend la chose moins tragique.

— Comment ça, moins tragique ?

— Si j'étais saoule, ils pourraient se dire, Eh bien, elle était en partie responsable.

— Mais si tu étais à jeun…

— À jeun, ça rend toute l'histoire, et les conséquences qui en ont découlé, arbitraire.

— Les conséquences?

— La paralysie. Une vie ruinée. C'est ainsi que *eux* le voient, pas moi.

— Est-ce que ça t'est déjà arrivé? j'ai dit.

— De voir ma vie ruinée? Oh mon Dieu oui. Mais ça a changé. Mais même après toutes ces années, quand je rencontre quelqu'un pour la première fois…?

— Oui?

— Je me sens obligée d'expliquer que je n'étais pas saoule. Que je n'avais même pas bu ma première margarita. C'est ce que je faisais dans la cuisine avec Freddie. Je préparais des margaritas.

— Pourquoi tu te sens obligée de leur dire ça?

— Parce que je ne veux pas qu'ils aient une mauvaise opinion de moi.

— Ça m'étonnerait que ce soit le cas.» Mes yeux se sont posés sur la silhouette en tissus de la baleine espiègle. Des mouettes rouges la survolaient. Pourquoi me lance-t-elle un clin d'œil? Quel est ce secret que nous sommes censés partager? «Tout le monde a été ivre au moins une fois dans sa vie», j'ai dit.

Je sentais qu'une histoire voulait se frayer un chemin jusqu'à ma bouche, celle où, des années auparavant, j'étais allé aux toilettes au deuxième étage d'un bar sombre sur Queen Street. Quelqu'un avait oublié de condamner l'escalier du fond et, en chemin vers les toilettes, mon équilibre un peu précaire, j'ai tourné à droite plutôt qu'à gauche et je suis tombé face première dans l'escalier. Je me suis remis sur pieds aussitôt, comme si le fait de me relever au plus vite m'éviterait une blessure physique dont l'éventualité était déjà chose du passé.

Je n'étais pas blessé, pas une égratignure. Mais l'incident m'est resté, au fil des années, et il me revient en tête lors de moments spécifiques: durant des nuits d'insomnie ou des rêveries d'après-midi enneigés. Je soupçonne que c'est mon ivresse qui m'a sauvé − j'aurais dû me briser le cou, mais j'ai rebondi comme du caoutchouc. Boum, boum, boum, pouf! Je me rends compte, lors de ces crises nocturnes à quatre heures du matin, quand les idées semblent toujours prendre le mauvais chemin, peu importe d'où elles émergent, que je suis aussi tourmenté ces jours-ci par les catastrophes qui *ne sont pas arrivées*, ou qui *sont presque arrivées*, que par celles qui le sont. Je me demande si c'est cette heure sombre qui m'envoie si loin à la recherche de telles choses, de telles petites fleurs laides. Pourquoi ne pense-t-on jamais à ces choses en plein jour?

J'ai gardé cette histoire pour moi, pour la simple raison que j'étais en compagnie d'une femme qui avait été victime d'un incident moins pittoresque (un tapis, une cheminée), mais dont les manifestations avaient déformé la vie en à peine quelques secondes. Que signifient ces événements? Est-ce que l'appât de la religion offre une certaine protection contre eux? Contre l'angoisse face à l'idée qu'ils *puissent* arriver? Et qu'ils *arrivent*? Pourquoi est-ce que j'ai échappé à cet accident, alors qu'elle n'a pas pu échapper au sien? Donc il ne peut pas y avoir de vie après la mort, j'ai pensé. Parce que ça voudrait dire qu'il existe un Dieu. Et quelle sorte de Dieu permettrait qu'une telle chose se produise? De quelle façon un tel incident peut-il être instructif?

«Tu n'es plus avec moi, a dit Sally. Où étais-tu?

— Je ne sais pas trop.

— Mais oui, tu sais.»

J'ai attrapé la poignée, façon de parler, du premier chaudron que j'ai pu trouver : la mort récente
d'une vague connaissance, Bobby Coatsworth. Cancer du cerveau. C'était un lecteur de nouvelles
pour la télé qui avait une voix radiophonique si
profonde que tu avais du mal par moment à ne pas
croire qu'il te menait en bateau. Le cancer avait
commencé dans sa gorge et avait rebondi dans son
corps comme une balle de pinball. L'a tué en dix
mois. Quand j'ai entendu la nouvelle, j'ai dit, Mais
Bobby a toujours été un gars assez tendu. Comme
si le fait d'être tendu était la raison pour laquelle il
avait eu le cancer. Et la raison pour laquelle *moi*
je ne l'avais pas.

Tandis que je parlais, Sally s'est penchée en
avant sur sa chaise, le coude posé sur un coussin brodé.
Elle me regardait attentivement, attendait quelque
chose. J'ai continué. «T'entends parler d'un écrase-
ment d'avion, tu veux tout de suite savoir d'où venait
l'avion, où il allait.

— Vraiment ?

— Parce que… Parce qu'ensuite, tu te dis, je ne
vais jamais *là* de toute façon.

— As-tu pensé ça quand l'avion d'Air France
s'est écrasé l'an passé ?

— Oui. J'ai pensé, Ben merde, ils se rendaient à São Paulo. Comme s'il y avait un rapport entre aller à São Paulo et le fait que la porte du cargo soit tombée dans l'Atlantique.

— As-tu pensé ça de mon accident? Que je l'avais cherché?

— Jamais. Pas une seconde.

— Je me demande pourquoi.

— Parce que je t'aime.»

C'était insensé, ça ne suivait aucune logique, mais j'ai toujours été heureux de l'avoir dit, heureux que ça soit sorti tout bonnement.

Le téléphone a sonné. Du genre ronronnant. *Prrrr.* Pause. *Prrr, prrr.* «Laisse-le sonner, elle a dit, j'ai trop de plaisir.»

Comme lorsqu'on attend que le serveur ait fini de verser le vin et quitte la table, nous avons attendu que le téléphone arrête de sonner.

«Avais-tu quelque chose dans les mains? j'ai demandé.

— Comment?

— Quand t'as trébuché sur le tapis au Mexique, avais-tu quelque chose dans les mains?

— Ça, c'est une question qu'on ne m'a jamais posée.

— C'est peut-être pas une question si intéressante.

— Pourquoi tu me demandes ça?

— Je me suis souvent demandé pourquoi tu n'as pas protégé ton visage avec tes mains. Ça s'est passé trop vite?

— Non, ça ne s'est pas passé trop vite, elle a dit sur le ton de quelqu'un qui hésite à aborder un tel sujet. Tu sais pourquoi je ne me suis pas protégée avec mes mains? Je ne me suis pas protégée parce que je suis née avec une déficience excentrique. Viens un peu plus près de moi.»

J'ai hésité. «Est-ce que c'est quelque chose qui va faire mal?

— Je ne fais pas des choses pareilles. Je déteste les gens qui font des choses comme ça. Mais viens un peu plus près.»

Je me suis levé et je me suis tenu debout près d'elle.

«Penche-toi un peu.

— Sally.

— Fais-moi confiance.»

Je me suis penché. Elle a pris une de mes mains et l'a approchée de son visage. Elle l'a fait lentement, la première fois, la deuxième fois un peu plus vite.

« À ma naissance, il me manquait le réflexe pour me protéger le visage. Je portais des lunettes à l'école secondaire et quand je jouais à des sports. Je n'en avais pas besoin, mais si quelque chose m'arrivait au visage, je ne réagissais pas. »

Puis elle a pris ma main – sa main était très chaude, ses doigts étaient recourbés mais ses ongles parfaitement entretenus – et elle l'a approchée lentement de mon visage. Je pense que c'était plus une raison de me toucher, ou de se laisser toucher par moi, que d'illustrer ce qu'elle voulait dire. Mais j'étais heureux de le faire. Heureux de la toucher. Je me suis dit, Est-ce que je suis la dernière personne qui te touchera jamais ? Est-ce que je serai ton dernier contact humain ? J'ai laissé sa main se poser sur mon visage.

Elle a dit : « Alors que si je faisais un geste vers ton visage, tu lèverais la main, tu clignerais des yeux. »

J'ai détourné le regard. Je sentais ma poitrine se serrer. « Tu ne m'avais jamais dit ça. » Je me suis rassis.

« Où est-ce que j'en étais ? elle a demandé.

— Tu étais couchée sur le plancher de la salle à manger chez Freddie.

— Un médecin de San Miguel est arrivé. Il m'a fait une piqûre. Je me suis réveillée dans l'hélicoptère. Ils m'ont transportée à l'hôpital ABC de Mexico.

— T'as pas eu envie de pipi entre-temps?

— Tout le système était éteint. À partir du cou jusqu'en bas. C'était comme se réveiller dans le corps endormi de quelqu'un d'autre. Tu veux bouger ton bras mais ton bras n'obéit plus, comme s'il avait oublié le langage que vous parliez tous les deux et tout ce qu'il entend, désormais, c'est du charabia.

«Trois ou quatre médecins sont entrés. Ils ne parlaient qu'en anglais, même entre eux. Un geste très élégant – ils ne voulaient pas que je me demande ce qu'ils étaient en train de se dire. N'empêche que j'avais l'impression d'être l'objet d'une expérience scientifique martienne. Un médecin a frotté la plante de mon pied avec ce qui ressemblait à un bâton de popsicle. "Est-ce que ça chatouille?" il a dit. Et je répétais sans cesse: "L'avez-vous fait, là, l'avez-vous fait, là?" Puis ils sont passés à mon autre pied, même question, et il y avait quelque chose dans le pragmatisme de la chose, le pragmatisme *professionnel* avec lequel ils répondaient à ma question, *L'avez-vous fait, là?*, qui me remplissait d'une peur sourde, une peur comme un morceau de plomb logé dans mon corps.

«Je leur ai posé une question. *La* question. Mais ils n'ont pas répondu. Ils m'ont mis dans un long tube de métal avec des lumières à l'intérieur et une fenêtre ronde. Comme un petit vaisseau spatial. Parfois je regardais les tuiles du plafond, d'autres fois celles du plancher. Comme une saucisse humaine dans une rôtisserie.

«Le lendemain ou le surlendemain, un médecin est venu me voir. C'était un homme élancé avec une épaisse tignasse grise, comme une star de cinéma jouant le rôle d'un médecin mexicain. Dr Philippe Ortoya. Il flirtait avec moi. C'était peut-être thérapeutique. Pendant qu'il examinait mes pupilles, j'ai dit: "Je veux que vous soyez honnête avec moi, Docteur. Est-ce que je vais pouvoir courir dans la rue à nouveau?

— Non, il a dit.

— Est-ce que je vais pouvoir grimper l'escalier jusqu'à ma chambre au deuxième étage?

— J'ai peur que non.

— Est-ce que je vais pouvoir faire mes besoins sans petit sac accroché à ma jambe?

— C'est trop tôt pour le dire."

«J'ai demandé: "Est-ce que c'est la meilleure nouvelle que vous avez pour moi?"

Le docteur Ortoya avait l'air de savoir où j'en étais dans mes pensées parce qu'il m'a dit: "On s'habitue aux nouvelles situations.

— Pas à cette situation.

— Ne faites rien de précipité. Attendez."

«Je lui ai dit : "Est-ce qu'on peut s'attendre à quelque chose ?

— Avez-vous la foi ?"

«Quand j'ai entendu ça, je me suis dit, bon sang de bon sang, c'est sûr que je vais me suicider ! Soudain, il y avait une réelle urgence à le faire — le faire avant que quiconque ne lise dans mes pensées et m'en empêche. Mais le problème, quand t'es handicapé, c'est que tu ne peux pas te tuer. Le mieux que tu puisses faire, c'est tomber en bas de ton lit et te cogner la tête sur le sol. Mais ça ne va pas te tuer.

«Et tu ne peux pas demander à un ami de pousser ta chaise jusqu'au bord d'un ravin et de regarder ailleurs un instant. Parce que même là, tu ne peux pas te lever de ta maudite chaise. Il faut que quelqu'un te *pousse* dans le vide. Et tu sais, trouver quelqu'un qui soit prêt à te pousser en bas d'un ravin, c'est tout un défi. Ce genre d'ami là est difficile à trouver.

«Un soir, j'étais couchée dans mon lit d'hôpital à Mexico, et j'ai vu naître une idylle dans l'édifice de l'autre côté de la rue entre un homme avec une va-drouille et un seau — ça devait être un nouvel employé – et une femme en tablier bleu qui allait de bureau en bureau pour vider les corbeilles à papier. On était au milieu de la nuit, seul leur étage était illuminé, et on pouvait les voir travailler en avançant l'un vers l'autre. La seule chose que rien, pas même la gravité, ne peut arrêter : les gens qui se frayent un chemin l'un vers l'autre, même dans l'obscurité d'un édifice. Pendant une semaine, ils se sont rencontrés comme ça dans le bureau vivement éclairé, et se sont parlé. Puis un soir, j'ai vu l'homme se lever et aller éteindre les lumières. Une demi-heure, environ. Et je me suis demandé si, dans mon état, je ne ferais plus jamais partie de ce monde. Est-ce que j'allais… » Ici elle a fait une pause, comme si le moment où cette pensée lui était venue avait regermé dans son esprit, comme une graine, est-ce que j'allais encore plaire au sexe opposé ?

« Parfois, quand j'ouvrais les yeux, je m'attendais à me retrouver à Toronto. Comme si le Mexique et Freddie Steigman et ma terrasse donnant sur les montagnes et la fête et les limes sur la planche à découper et les coups sur la porte et les voix qui se taisent, étaient le genre de brouillard malsain dans lequel on se perd quand on a trop dormi. Une avancée dans la décrépitude.

«Mais ensuite je voyais la chambre, j'entendais des voix s'exprimer en espagnol dans le couloir et je me disais, Ça ne peut pas être en train de m'arriver. Tu vas à une fête, tu traverses la pièce, tu trébuches sur le tapis. Sais-tu combien de coïncidences doivent se produire avant d'en arriver à ça? Mais il n'y a pas de consolation dans les statistiques, n'est-ce pas? Parce que ça te ramène toujours dans l'ici-maintenant.

«Je me suis réveillée, une fois, après minuit. Mes jambes étaient en feu. Une douleur terrible, persistante, comme un animal qui me fixait depuis le pas de la porte. J'étais couchée là, j'écoutais le doux murmure des chaussures blanches qui allaient et venaient dans le couloir. J'ai pensé, Je vais rester là sans bouger et cette chose va partir; elle va s'ennuyer et partir. Mais elle n'est pas partie. Elle s'est simplement couchée sur le pas de la porte en grognant, et elle a attendu. La douleur, je te le dis — la douleur et les choses qui viennent avec —, c'est une chose atrocement intime. Je suis convaincue que pour certaines personnes, le fait de mourir constitue un soulagement. Ne serait-ce que pour mettre fin à ce film monotone, indicible, répétitif.

«J'ai appuyé sur un bouton au bout d'une corde et un ange est apparu à côté de mon lit. Elle m'a donné une bonne grosse pilule rose. Ç'a laissé un goût amer au fond de ma gorge, même après un verre d'eau, mais je me doutais que de bonnes choses allaient accompagner ce goût. Et c'est ce qui est arrivé. Je ne savais pas si je dormais ou si j'étais éveillée, mais je pouvais littéralement *voir* mes pensées prendre des formes physiques, même des couleurs, comme des personnages dans un roman qui oublient qu'ils sont des personnages et qui se mettent à bouger tout seuls. À entreprendre leurs propres quêtes.

«J'ai appelé l'infirmière. Je lui ai demandé de lever mon lit aussi haut que possible, de me hisser sur des oreillers de manière à ce que toute la ville de Mexico gise à mes pieds. Ça devait être un samedi soir. La ville était illuminée comme un sapin de Noël animé, et j'avais l'impression que quelque chose de très bon était sur le point de m'arriver. Quelqu'un jouait du piano. C'était si parfait, et étrange à la fois, un piano dans un hôpital au beau milieu de la nuit.

«J'ai pensé au docteur Ortoya dans sa veste de lin impeccable, à l'ange aux souliers qui chuchotent, à toute la vie dans la ville de Mexico. Dans les bars, dans les rues, dans les cantinas, dans les maisons – toute cette vie scintillante, énergique. J'ai pensé à Chloe, souriant dans son sommeil. Et je me suis dit,

C'est une bonne affaire que d'être vivant. La vie est une bonne affaire.

«Mais le jour suivant, les choses ne semblaient plus aussi réjouissantes. Et même avec tout ce soleil, la banalité du monde était l'accord dominant.» Sally s'est arrêtée un instant. «Ou peut-être à cause du soleil, elle a ajouté comme pour elle-même. Tu vois ce que je veux dire?

— Oui.

— C'était peut-être ma troisième journée à l'hôpital. Une journée grise de l'autre côté de la vitre. La ville morne, sans vie. Un homme à l'autre bout du corridor, une balle dans la cuisse, avait gémi toute la nuit. Je ne l'avais pas entendu arriver. Je rêvais que j'étais couchée sur un quai au bord d'un lac à la campagne. Tu étais là. Il y avait aussi ton frère aîné, Jake. Nous étions tous bronzés. Bronzés et minces. J'entendais le vent passer à travers les pins sur la rive. Tu connais le son qu'ils font, ce bruissement, les épines de pin qui se frottent les mains.

«J'étais couchée sur le ventre; je sentais l'odeur du bois blanchi par le soleil; j'entendais l'eau qui léchait le dessous du quai. Petit à petit, les gémissements de l'homme ont commencé à se mêler aux sons que j'entendais sur le quai: un bateau traversant la baie, l'eau clapotant sous les planches, le vent dans les pins, un homme gémissant avec une balle dans la cuisse.

«Je me suis réveillée. La pluie s'écrasait contre les fenêtres de l'hôpital – de grosses gouttes stupides. *Splat, splat, splat,* pas comme de la pluie normale mais plutôt comme de la gelée transparente lancée contre la vitre. *Splat, splat, splat.* La pilule ne faisait plus effet et laissait derrière elle une sorte de platitude, comme un champ de neige qui s'étire jusqu'au bout de l'horizon. Et je me suis dit, Voilà ce qu'est ma vie sans ma pilule, ce champ sur lequel je marche éternellement. Oui, je vais me servir de toute mon intelligence, de toute ma créativité pour mettre un terme à tout ça. J'étais, en cet instant précis, en train de me demander comment obtenir plus de cachets de mon ange, quand une petite fille mince comme un crayon est apparue dans le cadre de la porte. C'était ma fille, Chloe.

«"Comment ça va, maman?" elle a dit, et le son de sa voix, avec ce petit trémolo incertain, m'a brisé le cœur. Il m'a coupée en deux et, en quelques secondes, j'ai réalisé que tous mes calculs, mes machinations, mes scénarios pour mettre fin à mes jours étaient soudainement relégués au second plan, se

77

conjuguaient au passé. Inconcevable. Comme un délire éthylique dont on émerge en se disant : Dieu du ciel, qu'est-ce que c'était que cette histoire ?

« Si les adultes peuvent s'habituer rapidement à d'affreuses circonstances, les enfants le font à une vitesse époustouflante : ils sont *vraiment* conçus pour la survie. Cette façon dont Chloe a accepté la nouvelle version de sa mère – le collet cervical, les mains crispées, les jambes sans vie –, c'était comme voir un œil retrouver son focus.

« Elle était là, perchée comme un oiseau sur le bord de mon lit, à me parler d'une fille aux cheveux roux à l'école américaine qu'elle fréquentait à San Miguel, comment tant de petits garçons l'aimaient. Qu'est-ce qu'elles ont, ces filles, à attirer tous les garçons, se demandait-elle ? Et je voyais bien qu'elle était complètement absorbée par la petite fille aux cheveux roux. Le soleil est revenu et il a transformé la ville en un port scintillant. »

Trois

Dix-huit étages plus bas, l'alarme d'une voiture s'est déclenchée dans le stationnement. *Honk, honk, honk, honk.* Nous l'écoutions sans le vouloir. Puis elle s'est arrêtée brusquement et le silence a rempli la pièce de nouveau, un silence plus profond, on aurait dit, nous laissant tous deux conscients, secrètement, du lieu où nous étions, et de pourquoi nous étions là. En quelques heures à peine, nous étions devenus si envoûtés par la présence l'un de l'autre que la troisième personne dans la pièce avait disparu.

«J'ai écrit la note, elle a fait.

— Qu'est-ce que ça dit?

— Seulement d'appeler la police avant d'entrer dans l'appartement.

— Okay.

— Je ne veux pas te causer d'ennuis.

— Okay.

— T'as qu'à la coller sur la porte en sortant.

— Tu es certaine de vouloir le faire, Sally ?

— Ce n'est pas compliqué », elle a dit calmement, et j'ai eu l'impression que c'était une chose qu'elle avait déjà dite, mais à elle-même seulement, pour se préparer à cette conversation. « Je ne suis pas déprimée, le monde n'est pas gris, je ne veux punir personne, c'est juste que tout ça... », elle a désigné son corps revêtu d'une robe de chambre verte, « ...est devenu de moins en moins gérable. Je ne veux pas entrer dans les détails physiques, mais tu comprends. Et ça ne va aller qu'en empirant. Et bientôt, pas demain ni même l'an prochain, mais bientôt, je n'aurai même plus ce minimum de contrôle sur ce qui m'arrive. Et puis il y a toi, a-t-elle ajouté doucement.

— Moi ?

— Un de ces jours, tu pourrais partir. Ou tu pourrais changer d'idée.

— Et ?

— Et je n'aurais personne pour m'aider.

— Y a personne d'autre?

— Je ne vois pas qui. Toi?

— Comment tu savais que je n'en parlerais à personne?» j'ai dit.

Elle me regardait droit dans les yeux, maintenant. Elle a attendu un instant. «Parce que je sais comment tu es. Parce que, assez, c'est assez.»

Le téléphone a sonné.

«Veux-tu le prendre?»

Mais elle n'a pas répondu. Elle s'était retirée en elle-même et j'ai soudain eu l'impression qu'elle pensait à son fils, Kyle. Mais je ne voulais pas l'évoquer. Pas ce soir. On aurait dit qu'elle avait lu dans mes pensées, parce qu'elle a pris une profonde respiration, involontairement, comme on le fait avant de se lancer dans une tâche qui a déjà été faite mais qui doit être entreprise de nouveau, puis elle a repris: «Environ six mois après mon accident, j'ai reçu une lettre de mon ex-mari, Bruce. Chloe et moi étions revenues dans la maison à San Miguel. J'étais en fauteuil roulant, mais je me débrouillais.»

Le téléphone a cessé de sonner.

«C'était une lettre dérangeante mais pas surprenante, quelque chose que j'attendais depuis un certain temps. Kyle, qui avait dix-sept ans, était dans le pétrin. Le pétrin de l'adolescence. Mais au ton lugubre et suffisant de la lettre de son père, on aurait dit que Kyle avait commis un meurtre. Et rien de tout cela ne serait arrivé, pouvais-je lire entre les lignes, si je n'étais pas partie faire la *pute* au Mexique.

— Il a utilisé cette expression?

— Non.» Pause. «C'est moi qui le dis.

— Continue.

— Kyle et quelques-uns de ses imbéciles d'amis du quartier ont bu un soir chez une fille — ses parents étaient absents — et ils ont pénétré dans leur propre école. Leur *propre* école. Ils ont arpenté les couloirs, défoncé quelques casiers, pissé dans la fontaine d'eau, brisé un miroir dans les toilettes des filles et ils ont abouti dans le sous-sol. Là, tout au bout de l'école, ils se sont retrouvés dans le local de musique. La porte n'était pas verrouillée. Ils y ont trouvé cinq guitares électriques qui avaient été louées pour un spectacle étudiant. Quelqu'un a dit: "Pensez-vous la même chose que moi?" Alors ils ont volé les guitares avant de sortir par la porte arrière.

«Bruce était à l'extérieur, il travaillait avec une équipe sur l'autoroute près du lac Athabasca; ils ont donc ramené leur butin chez lui. Kyle était bien des choses, mais il n'était pas stupide, et quand il s'est réveillé le lendemain avec la gueule de bois, il a compris qu'il avait de sérieux ennuis et qu'il devait faire quelque chose pour s'en sortir.

«Ses amis avaient passé la nuit chez lui mais c'étaient des imbéciles – les amis de Kyle étaient souvent des imbéciles – et quand il leur a demandé de l'aider, ils sont restés là, les doigts dans le nez, avant de détaler. Kyle était donc seul avec cinq guitares volées qui surchauffaient sa chambre comme une serre tropicale.

«Qu'est-ce que tu fais? Il a eu une idée. Il a trouvé le numéro de téléphone du directeur adjoint dans l'annuaire téléphonique et il l'a appelé. Il a raconté qu'un de ses amis – il ne pouvait pas donner de nom – avait bu, était entré dans l'école puis avait volé des choses. Maintenant, pris de remords, il voulait rendre le matériel par l'intermédiaire de Kyle. Est-ce que ce serait possible de le faire discrètement?

«Le directeur adjoint a dit "bien sûr". Mais quand Kyle est arrivé en taxi une demi-heure plus tard, les cinq guitares empilées comme des cadavres sur le siège arrière, il a vu deux policiers en civil qui l'attendaient sur le perron de l'école. Ils l'ont emmené au sous-sol dans le local de musique et ils l'ont cuisiné. Pas de fenêtre, juste deux policiers, le directeur adjoint et Kyle, qui empestait le gin. Un policier au gros visage luisant a ouvert les hostilités. C'était évident, disait-il, que Kyle était un petit farceur qui avait trop bu. Il pouvait le sentir d'où il se tenait. Mais c'était impossible que son soi-disant "ami" ait sorti les guitares par la porte, les ait traînées en haut du talus puis qu'il ait traversé le terrain de sport tout seul. À moins d'être "une maudite pieuvre".

«Donc il a dû avoir de l'aide. L'aide de *Kyle*. Alors pourquoi est-ce que Kyle ne crachait pas le morceau pour que tout le monde puisse "tirer les choses au clair" et fermer le dossier. Rien de mal là-dedans. Juste des jeunes qui font des bêtises de jeunes.

«Mais Kyle, à qui on avait déjà menti ce jour-là (le directeur adjoint), ne mordait pas. Il s'en tenait à son histoire. Il ne savait pas ce qui s'était passé, ne savait pas comment les guitares avaient été sorties de l'école, il ne faisait que rendre service.

«En consultant un calepin, le gros policier a dit : "C'est écrit ici qu'un orgue Hammond a aussi été volé.

— Y avait pas d'orgue, a dit Kyle.

— T'es sûr?"

84

Kyle n'a pas vu le piège. "Oui, je suis sûr.

— Eh bien, a dit le policier, si t'étais pas là, comment tu sais qu'un orgue a pas été volé?"

«Son partenaire s'est mis de la partie. "Écoute, morpion, si j'ai pas le nom du voleur sur ce bout de papier dans trente secondes, c'est *toi* que je vais arrêter pour vol qualifié, possession de matériel volé, possession en vue de trafic, puis tu vas aller en prison, je te le promets." Il lui a enfoncé le doigt dans la poitrine juste pour montrer à quel point il était sérieux.

«"Arrêtez-moi, a dit Kyle. Arrêtez-moi pis allez chier."

— Il a dit ça?

— C'est ce qu'il prétend avoir dit.

— Des couilles, le garçon.

— La police a dû penser la même chose parce qu'ils l'ont laissé partir. Pour le moment. Le gros policier a dit : "Je te donne vingt-quatre heures, Kyle. Après je vais venir chez toi puis je vais t'arrêter devant tes parents et tes voisins. Je vais te mettre des menottes puis t'emmener en prison."

«Son partenaire a dit : "Sais-tu ce que c'est, un vol qualifié, petit crétin? C'est un vol de marchandises de plus de mille dollars. T'es dans les grandes

ligues, maintenant. Tu peux remercier tes amis de te
laisser te faire enculer à leur place. Parce que c'est ça
qui va t'arriver. Sais-tu combien de temps un petit
cul comme toi peut survivre en prison?"»

J'avais oublié à quel point Sally pouvait être
bonne comédienne. Elle ne le faisait pas souvent; ce
n'était pas son genre, trop m'as-tu-vu pour elle. Mais
quand j'étais petit, les fois où je l'ai vue faire, où je
l'ai vue se laisser aller un soir à "faire" la voisine qui
se parle toute seule en jardinant, ou notre oncle im-
bibé qui dit au revoir mais qui ne part jamais, je finissais par la fixer des yeux, comme si je regardais
une chaise léviter.

Elle a poursuivi. «Kyle est rentré. Il n'a rien dit
à son père; il n'a pas dormi non plus, pas fermé l'œil,
juste une cascade d'affreuses fabulations. Exactement vingt-quatre heures plus tard, il était assis près
de la porte d'entrée avec son sac d'effets person-
nels – pyjama, brosse à cheveux, dentifrice, brosse à
dents – et il attendait d'être emmené vers ce qu'il
imaginait être une sorte de goulag.

«L'heure du rendez-vous est arrivée. Cinq heures.
Puis cinq heures et quart. Puis six heures. Kyle a marché jusqu'au trottoir et zieuté la rue d'un bout à
l'autre. Rien. Personne. Ils ne sont jamais venus.

«Mais après, il a refusé de retourner à l'école. *N'importe quelle* école. C'était pour ça, la lettre de Bruce. Il me suggérait de prendre Kyle avec moi au Mexique, qu'il vienne vivre avec moi. Me demandait de prendre le temps d'y réfléchir. Je n'avais pas besoin de temps. Mais j'ai fait semblant de réfléchir, semblant d'avoir des réserves : le fauteuil roulant, le fait de ne pas pouvoir encore être sur des béquilles, etc. En réalité, je ne voulais pas que Bruce comprenne à quel point j'étais *ravie* d'avoir mes *deux* enfants avec moi là-bas. Je pensais que s'il le flairait, quelque chose dans sa poitrine se serrerait et il me l'enlèverait. Mais je ne sais pas. J'étais peut-être trop sévère. Maintenant qu'il est parti, il m'apparaît moins comme un salaud que comme le produit d'une enfance passée dans une petite ville.

«Quelques semaines plus tard, Kyle arrivait par le bus d'après-midi. C'était le printemps, il faisait très chaud le jour. Freddie Steigman et Chloe sont allés le chercher à la gare. En chemin vers la maison, Freddie lui a mis du plomb dans la tête. Il lui a dit : "Tu sais pas ce que c'est que d'être dans la merde avant d'avoir vu l'intérieur d'une prison mexicaine."

«Environ trois ou quatre soirs plus tard, Kyle et un garçon américain sont allés dans une cantina et se sont enfilé une demi-douzaine de tournées de mezcal. Vers minuit, ils sont passés voir une fille qu'ils avaient rencontrée ce matin-là. Mais c'est le père de la fille qui a ouvert la porte et, voyant qu'ils étaient saouls, il les a envoyés promener. Ici l'histoire devient floue. Kyle dit que c'est son ami qui l'a fait, l'ami dit que c'est Kyle, mais quelqu'un a lancé une brique dans la fenêtre de la fille. La police a été appelée. Ils ont trouvé les deux garçons dans une cantina plus loin sur la rue. À quatre heures du matin, on a cogné à ma porte. C'était Kyle. Il s'était fait un peu secouer. Il avait un œil au beurre noir et une dent branlante. Par chance, il avait mentionné le nom de Freddie Steigman.

« Le lendemain, je prenais ma décision et depuis je vis avec les conséquences de cette décision. J'ai fait sa petite valise et je l'ai mis dans l'autobus qui l'a ramené à l'aéroport. J'y ai souvent repensé – j'aurais peut-être dû le garder. Mais j'étais trop vulnérable, trop faible pour m'occuper d'un adolescent de six pieds de haut lâché dans la ville, toujours à se mettre dans le pétrin et possiblement, je dis bien possiblement, nous faire tous expulser du pays. Est-ce que j'ai été lâche ? Est-ce que le fauteuil était un prétexte pour ne pas m'occuper d'un adolescent difficile – ou plutôt, d'un adolescent en difficulté? Est-ce que j'ai abandonné mon fils? Est-ce que je jouais à l'autruche quand je l'ai renvoyé chez son père? Est-ce que je suis responsable de ce qui s'est passé par la suite?

— Sans doute que non, j'ai dit.

— Ça ne change rien de toute façon. Les choses ont suivi leur cours.

— Comment?

— Tu le sais très bien, elle a répondu, impassible.

— Oui, mais comment ça s'est passé?

— Kyle s'est trouvé du boulot à Toronto, il s'occupait de personnes âgées dans une maison de retraite juive. Il les emmenait prendre une marche, poussait leurs fauteuils roulants autour du pâté de maison, leur parlait sur le banc devant la résidence et leur lisait les lettres de leurs petites filles.

«C'était un prince, tout le monde l'aimait – jusqu'au jour où ils ont découvert qu'il leur volait leurs médicaments. Librium, Valium, Séconal, Mandrax, Dilaudid, même les sirops pour la toux – tout ce qu'il pouvait trouver. C'étaient des personnes âgées. As-tu déjà vu la pharmacie d'une personne âgée?

— Oui, en fait.

— Alors tu le sais. On y trouve des trésors.

«La police est venue. Ils ont installé une caméra cachée dans la salle de bain d'une des chambres les plus visitées, puis ils ont attendu. Évidemment, le temps que Mrs. Cornblum descende pour le souper du sabbat avec son fils et ses petits enfants, Kyle fouillait déjà minutieusement parmi les médicaments sur ordonnance de sa pharmacie. Tout a été filmé. La police est arrivée chez lui avec un mandat de perquisition. Ils ont trouvé des bijoux, un collier, même une montre de poche en argent, très ancienne et de très grande valeur, qui avait été volée le matin même. Quelques pilules mais pas beaucoup. Kyle les avait prises ou vendues.

«Le juge était un tendre et lui a donné l'absolution conditionnelle. Kyle est sorti du palais de justice avec une tape sur la main. Bruce l'a mis à la porte. Il dormait un peu n'importe où, toujours chez des *losers*. Kyle avait le don de s'attirer des groupies imbéciles. Une série d'arrestations a suivi : vol à l'étalage, voitures défoncées, vente de faux carnets de prescription, arnaques au téléphone. Il a même été pris à voler des sacs à main dans des voitures garées au cimetière, pendant que leurs propriétaires se recueillaient sur les tombes de leurs proches.

— La parfaite petite crapule.»

Sally a froncé les sourcils ; ça lui faisait mal d'entendre ça. Tu peux dire du mal de tes propres enfants, mais tu ne veux pas que quelqu'un d'autre le fasse.
« Sally, je m'excuse. C'était juste pour me mettre dans l'ambiance.»

Elle a poursuivi. « Il est allé à l'hôpital quelques fois. Un déménageur l'a pincé comme il s'introduisait dans son camion, un gorille, gros bedon, gros muscles, qui gagnait sa vie à faire des allers-retours Toronto-Mississippi en carburant aux cigarettes et aux Dexedrines. Pas le genre de gars que tu veux voler. Pas le gars par qui tu veux te faire *pincer*. Il a trouvé Kyle assis derrière le volant, il essayait d'enlever la radio à ondes courtes. Kyle a eu si peur qu'il s'est jeté du haut d'une rampe. Une chute de deux étages. Il a eu quatre fractures au bras. Le camionneur a pris le temps de descendre jusqu'à lui, puis il lui a donné quelques coups de botte, un dans les reins, un au visage, et il l'a laissé dans la rue.

— Belle vie.

— En février, il a fait une overdose de méthédrine, son cœur s'est arrêté sur la table d'opération. Toutes ces nouvelles m'arrivaient au Mexique. J'étais déchirée. Rester ou rentrer. Mais rentrer pour faire quoi? Clopiner sur mes béquilles. Crier depuis les gradins. Arrive un moment où on est réduit au rôle de *cheerleader* impuissante dans la vie de nos enfants. Ou bien je me raconte encore des salades? Je ne sais pas. Je ne sais toujours pas.

«J'ai commencé à me préparer à sa mort. Je me suis mise à imaginer que le téléphone sonnerait un soir, ou que Bruce, avec sa face de chien battu, apparaîtrait sur le pas de ma porte au Mexique. Je savais que ça allait arriver. C'est l'histoire avec Jerry Malloy qui m'a fait rentrer.

— T'en n'as jamais parlé.

— Jerry Malloy? C'est le point tournant.» Elle a appuyé son coude sur le bras de la chaise; il a glissé; elle l'a replacé en se servant de son autre main pour le stabiliser. Elle a repris. «Un soir, vers minuit, Kyle s'est pointé chez Marek Grunbaum. Tu te souviens de lui? Le Polonais...

— Avec le beau mouchoir de poche rose.

— Kyle avait l'air d'un zombie: vêtements en lambeaux, teint gris, yeux jaunes. Il puait, aussi. Ses pieds étaient en train de pourrir à cause d'une infection qui n'avait pas été traitée. Marek lui a fait enlever ses vêtements dans l'entrée, tous ses vêtements, puis il l'a emmené tout nu vers la douche, à l'étage,

désinfectant son sillage avec une bombe de Lysol.
Ses trois enfants regardaient par leurs portes de
chambre entrebâillées. "C'est qui, ça, papa?" Quelques jours plus tard, il le conduisait dans un centre
de désintox au centre-ville. En chemin, Kyle lui a
demandé s'il pouvait lui emprunter vingt dollars.
Un cadeau de fête pour son père. Il avait le charme
de l'escroc, Kyle. Il a regardé Marek dans les yeux
puis il lui a dit: "Il faut que tu me laisses me racheter
auprès de mon père".

« Il a disparu dans le trafic d'après-midi avec les
vingt dollars. Près d'une demi-heure plus tard, après
que Marek ait fait deux fois le tour du pâté de maisons et reçu une contravention, il l'a vu sur le trottoir. Kyle a grimpé dans la voiture, affirmant qu'il
n'avait rien trouvé d'intéressant. Mais est-ce qu'il
pouvait garder l'argent? Dans un jour ou deux, il
aurait droit à des sorties d'une demi-heure dans le
quartier – il finirait par trouver quelque chose.

« Marek ne voulait plus que le voir sortir de sa
voiture. Alors il a accepté. Il est arrivé à la clinique,
une grosse maison blanche sur une rue toute en ver-
dure. Il a attendu pour s'assurer que Kyle entre à
l'intérieur. Kyle a sautillé jusqu'en haut de l'escalier,
fait tout un numéro théâtral pour appuyer sur le

bouton de la sonnette, il s'est retourné puis il a souri à Marek en lui envoyant la main, comme si tout ça était hilarant, incroyablement amusant.

«Ils ont mis Kyle dans la même chambre que Jerry Malloy. Jerry avait grandi dans une de ces petites villes dans le nord, où les adolescents se tiennent devant la pizzeria, les samedis soirs, pour rêver à la vie décrite dans les revues de heavy métal. Tu vois de qui je parle?

— Et comment.

— On les voit dans les petites villes. On peut sentir tout l'ennui qui se dégage d'eux. Normalement, ils se font arrêter pour entrée par effraction dans un chalet, ils engrossent la fille de l'épicerie, prennent quarante livres puis passent leur vie à travailler à la marina ou à l'usine de rabotage. J'ai beaucoup de compassion pour ces enfants.» Sally a regardé vers la fenêtre, et après un moment, elle a continué. «Mais pas Jerry. Jerry se pensait meilleur que les autres. Pas de marina pour lui. Il a laissé l'école en dixième année puis il a déménagé à Toronto où il s'est trouvé du boulot à fabriquer des manches à balai dans une usine.

«Bien vite, la vie dans la grande ville lui a complètement tourné la tête. Surtout à cause de la drogue, évidemment; d'abord le pot, ensuite la méthé-drine…

— C'est pas jojo, la méthédrine.

— …Puis tout ce sur quoi il pouvait mettre ses grosses mains de garçon de ferme. Mais c'était par-fait, ça faisait partie de l'aventure qui mettait une case de plus sur l'échiquier qui le séparait des garçons de la pizzeria, dans sa ville natale.

«Un jour, drogué aux somnifères, il a volé une voiture qui était stationnée en double, le moteur en marche. Il l'a conduite à l'envers d'un sens unique, il a vu une voiture de police (qui était vide, en passant), il a paniqué puis foncé dans une borne-fontaine. La voiture était une perte totale. Lui était complètement K.-O. Il s'est cassé une dent sur le volant.

«Le juge, comprenant qu'il avait affaire à un imbécile, a mis Jerry devant un choix : prison ou désintox. À son grand malheur, Jerry Malloy, le gar-çon qui fabriquait des manches à balai, a choisi la désintox ; et pour le punir de ses crimes, on l'a en-fermé avec mon fils.

«Kyle correspondait exactement à l'image que Jerry s'était toujours faite des gars de la ville : agile, l'insulte facile, toujours la bougeotte. Il était conquis.

Pour sa part, Kyle savait qu'il était tombé sur un sacré poisson et il traitait Jerry comme un gros chien pataud. Lui faisait faire ses corvées, nettoyer les toilettes, faire les lits, les choses qu'on fait en désintox pour se réconcilier avec la vie ordinaire. Ça ne l'intéressait pas, Kyle, la vie ordinaire.

«Trois ou quatre semaines plus tard, je recevais un coup de fil de Bruce. Kyle avait ramené deux grammes de haschich libanais au centre. Il l'avait acheté dans la rue avec le vingt dollars de Marek. L'avait passé en douce, sous le nez de la sécurité, dans le creux de la semelle d'un de ses souliers, souriant et blaguant avec le gardien. C'était sans doute toute cette excitation, la perspective de tourner tout le monde au ridicule, qui expliquait le sourire délirant que Kyle avait offert à Marek quand il est entré au centre.

«Et puis un soir, après que tous se soient endormis sur leur étage, il s'est glissé hors de son lit, a pris le haschich et offert une touche à Jerry. Moins de trois heures plus tard, ils étaient pris la main dans le frigo à viande, au sous-sol, après que Kyle ait entraîné dans l'aventure un jeune accroc aux amphétamines de Stratford et un alcoolique de soixante-huit ans. En l'espace de quelques heures, Kyle avait gâché des mois et des mois de sevrage.

«C'était un geste d'une irresponsabilité si flagrante que le centre l'a laissé tomber. Tu peux réhabiliter un toxicomane, mais tu ne peux pas réhabiliter un trou du cul. Les deux ont été expulsés, Kyle et Jerry. Puis, pouf, ils ont disparu. Pendant quelques semaines, personne n'a eu de leurs nouvelles. Ils sont peut-être allés dans la ville natale de Jerry. Je ne sais pas. Personne n'a eu de nouvelles de Kyle – ni son père, ni ses amis, ni moi, personne. Ce qui s'est passé ensuite n'est donc pas vraiment clair. Mais les grandes lignes sont faciles à deviner : Kyle s'était trouvé un poisson, et il allait le presser comme un citron pour recueillir la moindre goutte de ce qu'il pouvait en tirer.

Bien vite, sans doute à la suggestion de Kyle, Jerry a volé le pick-up de son oncle. Il devait se croire dans un film, deux bandits en cavale. Ils sont allés dans une fourrière, ils ont adopté un bâtard, puis ils ont entrepris leur traversée du Canada. Ils étaient en route vers Vancouver. Quelqu'un leur avait dit que c'était comme la Floride, là-bas, belle température, jolies filles ; ils se trouveraient du boulot sur un bateau de pêcheurs puis vogueraient vers la Chine. Butch Cassidy et the Sundance Kid.

«Ils ont contourné les Grands Lacs en montant par le Manitoba. Volaient de l'essence au besoin. Vols à l'étalage ici et là, vols par effraction le plus souvent. Une famille de fermiers a rapporté que deux jeunes hommes, dont l'un avait une dent cassée, étaient restés avec eux quelques jours, puis avaient volé la collection de pièces de monnaie de leur petit-fils avant de disparaître. Les gens qui étaient bons pour Kyle étaient des gens, pensait-il, qui avaient une cible sur le dos, des crétins qui disaient : "Allo! Abuse de moi, je suis stupide".

«Jerry a vendu ses faveurs dans une aire de repos près de Winnipeg ; il a laissé un gars lui faire une pipe à l'arrière de son camion, et ça leur a donné soixante-quinze dollars. Ils se sont rendus jusque dans la banlieue d'une ville tout près de la frontière albertaine. Ils voyageaient la nuit. C'est Kyle qui conduisait. Il est tombé endormi, le camion a quitté la voie, roulé dans un fossé, fait trois ou quatre tonneaux, tué Jerry et tué le chien. La police a ramassé Kyle un demi-mille plus loin ; il faisait du pouce.»

Sally a penché la tête, comme si elle essayait de se rappeler quelque chose, un geste qui m'avait marqué, enfant. «Chloe et moi avons quitté la maison de San Miguel peu de temps après. La ville était hantée, pour moi, comme deux photos : avant, après. Et quand Freddie est mort (sa femme de ménage l'a trouvé sur son lit, avec sa veste de lin bleu : il avait dû s'allonger un moment pour reprendre son souffle et il ne s'est jamais relevé, cher Freddie), plus rien ne me retenait.

« J'ai loué un appartement aux abords de Forest Hill Village. La partie pauvre. Il y avait quelque chose de réconfortant à côtoyer autant de Mercedes et de beaux jardins. C'était un édifice à l'ancienne en brique, un peu délabré, avec des vitraux. Tu te souviens de ces maisons ? Kyle était de retour à Toronto, lui aussi. Il voulait venir habiter avec nous. D'abord j'ai refusé. Pas question.

« Il y a eu des larmes, bien sûr, puis des accusations. Je l'avais abandonné en partant au Mexique, l'avais laissé avec un père autoritaire. J'avais aimé Chloe plus que lui. Pendant qu'il parlait, pour la première fois de ma vie, j'ai senti dans mon corps même que j'étais devant un menteur compulsif. Un menteur dont le charme et l'intelligence étaient devenus une sorte de lubrifiant qui lui permettait d'obtenir tout ce qu'il voulait. Tu comprends ce que je suis en train de dire ? Pour la première fois, il m'est apparu que, pour mon fils bien-aimé, le langage, chacun des mots qu'on utilise, était une sorte de camouflage qui lui permettait d'être un prédateur sans avoir *l'air* d'un prédateur. Même ses larmes avaient l'air calculées. Comme s'il mentait, savait qu'il mentait, mais s'en foutait. Son seul souci étant le succès de sa performance.

— Mais tu l'aimais.

— Oui. J'oubliais tout, en sa présence, et je me disais : Il est si merveilleux. Je me répétais : Ça va passer. Mais soudain je l'entendais parler au téléphone et je me demandais : Qui est-il ? Est-ce que c'est un masque ? Où est-il, le petit garçon qui avait peur des histoires de fantômes et qui était si timide au camp de vacances qu'il n'osait pas demander où se trouvaient les toilettes ?

— Est-ce que t'as pensé qu'il était fou ou drogué ?

— J'ai pensé qu'il était un petit cochon, la truffe dans la mangeoire. Un petit gouffre d'appétits égoïste et éhonté. Et qu'une fois qu'il l'aurait compris, qu'il saurait que c'est ainsi que le monde en est venu à le voir, que son amour-propre l'arrêterait.

— Ça se tient.

— En théorie seulement. *En théorie.* Je l'ai emmené souper. Taxis, béquilles, tout le bazar. Je voulais être dans un nouvel endroit avec lui, un endroit sans les odeurs de mon appartement. Je lui ai demandé à quel moment il avait été heureux pour la dernière fois. Il a d'abord menti ; m'a inventé une histoire qu'il pensait que je voulais entendre. Je l'ai interrompu. J'ai dit : "Arrête de me mentir. Ça me tue. Ça *nous* tue."

«Alors il m'a dit, avec un sourire niais : "Briser la vitre d'une voiture, j'imagine. En fait, pas vraiment ; plutôt le moment où tu regardes à l'intérieur de la voiture, tu vois quelque chose que tu veux, tu regardes à gauche, à droite, personne autour, puis là tu le *fais*".

«Je lui ai demandé s'il me disait ça pour me choquer. Ce n'était pas la criminalité de son geste qui me bouleversait, c'était sa vulgarité, la simple vulgarité de la chose, et l'étrange lueur de plaisir qu'il avait dans l'œil quand il a dit ça. Il avait un air... *sauvage*. J'ai dit : "Est-ce que c'est *vraiment* ça, la dernière fois où t'as été heureux ?"

«Il a réfléchi un instant puis il a répondu : "Oui, m'man, c'est vraiment ça.

— Tu n'as pas envie de changer ta vie ?" j'ai demandé. "Non, pas vraiment." Je lui ai demandé s'il pensait qu'il allait vivre vieux. Il m'a répondu qu'il ne pensait pas beaucoup à ça. J'ai demandé : "À *quoi* penses-tu, Kyle, quand tu te réveilles à quatre heures du matin dans une petite chambre sale avec des aiguilles sur la table puis des taches de sang sur les murs ?"

« La question semblait le rendre perplexe, et j'ai compris que quelque chose s'était éteint en lui. Que son intelligence fine s'était estompée, et je soupçonnais qu'elle s'était estompée de façon irrémédiable. C'était difficile de l'admettre, mais j'étais en compagnie d'un jeune homme squelettique dont l'esprit, jadis, arrivait à impressionner même les policiers. Maintenant je soupais plutôt avec un téléphage ordinaire, ahuri. Un téléphage *chronique*. Se défoncer, écouter la télé, fracasser une vitre de voiture, se défoncer, regarder la télé. C'était tout. C'était toute sa vie.

   — T'as dû en arriver à le détester.

   — Non, non, jamais. Jamais pour longtemps, du moins. Je ne pouvais pas m'empêcher de penser qu'il existait une clé magique quelque part, et que si je la trouvais et l'insérais dans la serrure, la porte s'ouvrirait et tout changerait.

   — Et ?

   — Les mères perdent la tête quand il est question de leur fils. Je l'ai laissé s'installer chez moi. Je ne pouvais pas le laisser errer dans les rues – j'avais peur qu'il se fasse tuer. Il connaissait d'instinct mes cordes sensibles, surtout l'histoire où je l'avais renvoyé à la maison après le Mexique. Il dormait sur le divan, faisait son lit le matin. Ça a fonctionné pour un temps. Chloe allait à l'école ; je suivais un cours d'espagnol. J'espérais un jour retourner au Mexique, mais dans une autre ville. Puerto Vallarta, peut-être. Les villes gaies sont toujours les plus sécuritaires, à l'étranger. J'avais dépensé presque tout mon argent, alors je vivais avec une pension d'invalidité.

— Pourquoi tu ne t'es pas remise à tes tableaux ? »

Elle a regardé la baleine espiègle, les goélands rouges planant au-dessus de la lagune. « J'ai essayé, mais je pense que le cœur n'y était plus. Je ne pouvais plus faire les dessins ni le découpage. J'aurais dû embaucher quelqu'un pour le faire, ce qui revient à payer quelqu'un pour monter ta collection de timbres. Mais on se débrouillait très bien. »

Elle a continué. « C'était un arrangement temporaire, avec Kyle, mais ça me donnait quelque chose que je voulais ardemment : ça me le donnait, *lui*, sa présence. Il avait été un petit garçon si brillant, si perspicace, si intelligent à propos de ses amis, de ses parents, de lui-même, aussi. Comment dire ? C'était si triste. Il était de ceux-là, de ce groupe exaspérant de personnes qui sont capables d'une auto-analyse impitoyable, mais incapables de contrôler ces pulsions dont ils parlent si brillamment. Mais je l'aimais et j'attendais toujours qu'il tombe sur la bonne clé pour la bonne serrure. Et pendant un certain temps, on a pu croire que ça allait arriver.

— Et puis?

— Il s'est joint aux Alcooliques Anonymes. Il a eu un parrain génial – un homme d'affaire d'âge moyen qui l'appelait tous les soirs. Il s'est trouvé du boulot dans un entrepôt. C'est Marek qui le lui a trouvé. Il l'a fait pour moi, oui, mais il croyait en la clé magique, lui aussi. Mais la sienne était un peu différente. La sienne, c'était la brutalité du travail acharné. Très Europe de l'Est. Et pendant un bon moment, peut-être six mois, ça a marché.

«Kyle s'est fait une nouvelle copine. Une Japonaise, cette fois. Les femmes l'ont toujours aimé. C'était une bénédiction et une malédiction à la fois. Elles voulaient toujours le sauver. Incluant sa mère. Nous croyions toutes en cette clé magique. Un mois s'est écoulé; trois mois; six mois. Je sentais qu'une ceinture se relâchait autour de ma poitrine. Et puis un matin d'été, en route vers le travail, il est passé devant un bar du coin – je me souviens encore de son nom, le Moonstone – et il est entré.

«Il avait dû passer devant ce bar, ma foi, je ne sais pas, une centaine de fois? Mais ce jour-là il est entré. Ils venaient d'ouvrir. Il a mis de l'argent sur le bar et demandé une bière. Le barman lui a demandé quelle sorte il voulait. Kyle a dit : "Je te laisse choisir". Une réponse inhabituelle. C'est pour ça que plus tard, quand il a parlé à la police, il se souvenait de Kyle.»

Une porte s'est ouverte dans le corridor, près de l'appartement de Sally. De la musique s'est déversée sur le tapis à fleurs. *Allez, viens*, a dit la voix d'une jeune femme, *c'était* ton *idée, alors* viens. Un collier de chien a tinté, suivi d'un jappement d'excitation. *Chut.*

«D'après ce qu'on sait, il a ensuite appelé au travail, dit qu'il était malade. Pas un mot à son parrain, naturellement. Il savait que le gars ne le croirait pas. Autour de midi, Kyle se retrouve dans un parc avec quelques autres gars. Le ravin juste au-dessous du pont du métro qui mène dans Greek Town. Ils boivent des coups tout au long de Danforth, oublient de payer quelques factures, s'arrêtent pour voir la copine d'un des gars qui travaille dans un spa et lui empruntent de l'argent. Quelqu'un leur vend un huitième d'once, crack et héroïne.

«Ils retraversent la ville pour aboutir dans cette école privée sur Avenue Road. Comment elle s'appelle? Celle où tu es allé?

— Upper Canada College.

— Ils défoncent des casiers pour trouver quelque chose à voler. Ils s'imaginent que parce que c'est une école privée, tous ces gosses de riches doivent nécessairement garder des sacs d'argent dans leurs casiers. Un gars de la sécurité les entend, ils lui lancent une paire de souliers de soccer puis détalent à toute vitesse. Ils traversent en courant un terrain de cricket pendant une partie, au milieu de tous ces gars vêtus de blanc avec leurs battes de cricket. Le temps que la police arrive, ils ont disparu, sauté par-dessus la clôture, et ils se cachent dans une cour arrière de Forest Hill. Une heure plus tard, la police reçoit l'appel d'une femme qui se plaint qu'il y a trois hommes nus dans sa piscine. Les gars s'échappent encore une fois.

«Deux jours plus tard, un flic voit une voiture stationnée illégalement, sans plaque d'immatriculation. Il ouvre la porte. Mon bébé est à l'intérieur, Kyle. Tout seul. Ils ont supposé qu'il était mort quelque part et que les gars avaient jeté le corps dans une voiture volée avant de s'enfuir. Dans sa poche – ça me brise encore le cœur –, il a un plan de la ville avec tous les endroits par où il est passé au cours des derniers jours, un long arc à travers la ville menant à son appartement. Sur la carte, il avait écrit ces mots : *Mon périple au dessein mystérieux.* Il était comme un poisson qui remonte le courant. Il pensait qu'il rentrait chez lui, mais ce n'était pas le cas. Il se préparait à mourir. Et il est mort.»

Nous sommes restés assis en silence, un moment ; son réfrigérateur s'est mis à bourdonner. Elle a dit : «J'y ai pensé souvent et la vérité, je crois, c'est qu'il savait qu'il ne pouvait pas endurer plus de six mois de "bonne conduite", et l'alternative n'était pas possible non plus.»

Quelque part dans le mur derrière moi, un tuyau de métal a tressauté.

«Mais pourquoi, selon toi, il a choisi ce matin-*là* pour entrer dans le bar ? Pourquoi pas le jour d'avant ? Pourquoi pas le jour d'après ? Quand tu perds un enfant, tu n'arrêtes pas de penser à ces petites choses. Comme si, advenant que je trouve une réponse, je puisse faire en sorte que ça ne soit jamais arrivé. Ce qui est absurde, je le sais. Mais je ne peux toujours pas m'en empêcher.»

Je ne disais rien. Ses yeux sombres se sont tournés vers moi. «Comment sa sœur peut-elle être sa sœur, et lui être lui ?

— Qu'est-ce que tu veux dire ?

— Ils dormaient dans la même chambre, ils avaient les mêmes parents, la même quantité d'amour, les mêmes choses au petit déjeuner. Ils utilisaient les mêmes mots, ils parlaient au même rythme. Ils aimaient les mêmes émissions de télé. Ils détestaient les mêmes chansons à la radio. Ils ne faisaient qu'un, dans la maison, quand ils étaient petits. Comment pouvaient-ils être semblables sous autant d'aspects, et en même temps aussi dissemblables dans un petit recoin de leurs personnalités, et que ce soit cette petite dissemblance qui devienne le facteur déterminant de leurs vies. Pourquoi ça ne pouvait pas être ces autres choses, ces autres qualités, qui pavent la voie ? Peux-tu me l'expliquer ?

— Non, je ne peux pas.

— C'est comme toi et ton frère Jake. Vous vous détestez.

— Je n'ai pas parlé à Jake depuis des années. Toi ?

— Parfois. Rarement.

— Il est comment ?» j'ai demandé, ma voix s'élevant d'une demi-octave, comme si mon corps, indépendant de ma volonté, se préparait à se défendre, comme si le temps entre maintenant et notre dernière confrontation avait été réduit à quelques jours, et non quelques années.

«Malheureux. Si malheureux. Et il est assez catégorique. Il dit qu'il ne sera pas heureux avant l'âge de cinquante ans.

— Pourquoi cinquante?

— Je ne sais pas. C'est ce qu'il dit.»

Au bout d'un moment, j'ai demandé: «Et moi, je suis comment?

— À ton meilleur?

— Commençons par ça.

— Ici. Tu es ici. Et tout ce que ça… implique.

— Et à mon pire?» Je me disais: Finissons-en.

Elle a secoué la tête. «Tu es ici. C'est ce qui compte.» L'ascenseur s'est ouvert au bout du couloir. Des voix sont passées devant la porte.

«Il est tard, elle a dit, je me demande qui ils sont. Je me demande d'où ils arrivent?»

La bougie a crépité.

«Me permets-tu de te poser une question? elle a dit.

— Oui.

— Tu es sûr?

— Oui, je suis sûr.

— Vas-tu le regretter? Vas-tu traverser ce quartier un soir dans vingt ans et le regretter?

— Ce n'est pas important. Pas ce soir.

— Difficile de t'imaginer dans vingt ans. Difficile de t'imaginer un jour plus vieux que ce soir.

— Pourquoi m'as-tu demandé la permission? j'ai dit.

— Parce que je ne veux pas dire la mauvaise chose.

— Sally, je t'en prie.» Je sentais mes yeux se remplir de larmes.

«Quoi? elle a soudain demandé.

— Dis ce que tu veux, s'il te plaît.»

Le téléphone a sonné encore une fois. *Prrr, prrr.* J'ai regardé Sally, sourcils levés. Elle a secoué la tête. Elle savait qui c'était, j'ai pensé, mais ne voulait pas me le dire. Enfin, il s'est tu. Et la pièce s'est de nouveau plongée dans un silence surnaturel.

Elle a dit: «Je dois aller à la salle de bain. Peux-tu m'attendre?

— Bien sûr.

— Tu seras là quand je reviendrai?

— Où veux-tu que j'aille?»

Sally s'est levée à l'aide de ses béquilles. J'ai mis mes mains sous ses aisselles – c'était chaud – pour qu'elle trouve son équilibre. «C'est bon?» j'ai demandé.

Elle fixait le tapis des yeux. Ou ses pantoufles. Je n'arrivais pas à voir. «Ouais», elle a dit, en aspirant le mot comme le font parfois les gens de la campagne, comme le faisait sa grand-mère.

Par la fenêtre, je voyais les lumières clignotantes d'un avion qui descendait sur la ville. «Je ne pensais pas que les avions se posaient aussi tard», j'ai dit, mais Sally était déjà dans la salle de bain.

Au bout d'un moment, je me suis mis à penser à mon frère aîné, Jake, qui a connu des débuts si prometteurs: un bon élève, le chouchou des profs, le préféré des filles, le capitaine de son équipe d'athlétisme – il avait même eu sa photo dans le journal, un jour de printemps, avec le titre: JAKE GILLINGS, FUTUR CHAMPION! Il posait dans son uniforme, avec un trophée qui scintillait dans le soleil d'après-midi.

Futur champion, en effet. Je l'admirais tant! Je le regardais sur le terrain de football – les mains sur les hanches, étudiant les joueurs qui allaient et venaient juste avant le snap, analysant le terrain – ou se frayant un chemin dans le corridor de l'école avec une poignée de ses amis vedettes, vestons ouverts, cravates desserrées, et j'avais l'impression d'observer une version améliorée de moi-même. Plus beau (il ressemblait à Kris Kristofferson), meilleur au soccer, meilleur au backgammon, meilleur au ski nautique, meilleur au ping-pong, même meilleur danseur dans les fêtes. Tout simplement meilleur, meilleur, meilleur. Et croyez-le ou non, je m'en délectais. Ça me donnait un *kick*, comme on disait dans le temps, d'être lié à lui et que les gens disent : Oh, lui, c'est le petit frère de Jake.

Mais quelque chose lui est arrivé à l'université. Comme si quelqu'un avait éteint les lumières et qu'elles ne s'étaient jamais rallumées : diplôme jamais terminé, maisons de chambres, projets avortés, voyages décevants, copines difficiles, religions orientales, une série de psychiatres (qui invariablement, après trois ou quatre mois de traitements, se transformaient en « trous du cul »). Je l'ai vu, une fois, dans un restaurant. Il criait après une serveuse. Je n'ai pas remarqué sa présence avant qu'il y ait un soudain vacarme, assiettes brisées, table renversée, un gérant au visage blême traversant la pièce en courant. D'où venait-elle, toute cette fureur ? Cette capacité à s'abandonner à un tel étalage de rage enfantine ? Un adulte qui fait sa crise. Est-ce qu'un psychiatre des années 1960, cheveux longs et bottes de cow-boy, lui avait conseillé de « laisser sa colère s'exprimer?» Et le pauvre Jake l'avait pris au mot?

Pourquoi s'est-il retourné contre moi, qui l'adorais? Pourquoi a-t-il baisé ma copine allemande dans mon lit avant de s'assurer que la nouvelle me parvienne? Pourquoi, d'après mon cousin, se lance-t-il encore dans des diatribes au sujet de nos parents, morts depuis longtemps, qui auraient ruiné sa vie? Les morts peuvent-ils ruiner notre vie? Leur emprise peut-elle durer aussi longtemps? Est-ce qu'on ne gagne pas par la seule force d'être encore en vie?

Et pourquoi s'est-il retourné contre *lui-même*? Cette étrange résignation sur le bonheur qui ne viendrait pas avant cinquante ans? Ce soir, au moment d'écrire ces lignes, je pense à lui: il est là, quelque part dans la ville. Mais que fait-il? À quoi pense-t-il? Il doit avoir, je ne sais pas, soixante-trois, soixante-quatre ans.

Es-tu heureux, maintenant, Jake? L'es-tu?

On avait été si proches, comme frères, à danser côte à côte sur «She's Not There» des Zombies avec deux sœurs pendant une fête d'été. Et aujourd'hui, quoi? Que s'est-il passé? Jake et Kyle. Chloe et moi. Que s'est-il passé, bordel?

Encore une chose : J'ai remarqué, ce soir-là au restaurant, qu'il était habillé exactement comme moi : *corduroy* noir, veste de cuir brun, chandail à col rond et baskets blancs. Tellement étrange : deux écoliers vieillissants qui ne se sont pas parlé depuis des années portent les mêmes vêtements. Ça veut dire quelque chose, je sais, mais quoi ?

Sally est sortie de la salle de bain et s'est réinstallée dans sa chaise. « À quoi pensais-tu ? elle a demandé.

— À Jake et Kyle. Kyle et Jake.

Elle a mis ses béquilles sur le côté. « Tu sais ce que je veux ? elle a dit. Quand je serai partie, je veux que tu fasses une petite fête pour moi. Pas tout de suite. Rien de larmoyant. Plutôt un anniversaire. Une fête avec beaucoup de vin et de bougies. Et des martinis, aussi.

— Bien sûr.

— Je veux des gens joyeux, et je ne veux pas être seule.

— Okay.

— Il y a autre chose.

— Oui.

— Il y a une boîte argentée dans ma chambre. Sur la commode.

— Oui, je l'ai vue.

— Sais-tu ce qu'elle contient?

— Non.

— Ce sont les cendres de Kyle. Je devais faire quelque chose avec elles, mais aucune idée ne me convenait. Pour être honnête, je ne pouvais pas supporter de m'en séparer pour de bon.

— Que voudrais-tu que je fasse?

— Quand tu partiras, ce soir, demain, peu importe, je veux que tu prennes les cendres avec toi. Je ne supporte pas l'idée que des gens fouillent dans mes affaires, ouvrent l'urne, se demandent ce qu'il y a là-dedans, en versent le contenu dans la toilette, peut-être, ou la mettent dans une boîte de carton et l'envoient à Chloe en Californie.

Quatre

Chloe la maigrichonne, au menton effilé. Un sosie d'Arthur Rimbaud. Une dague tatouée sur le bras. Les yeux noirs de Sally. Une fille élancée qui déambule sur le trottoir un dimanche matin.

J'ai dit : « Parle-moi un peu de Chloe. Elle a quel âge maintenant ?

— Vingt-six.

— Et elle vit en Californie ?

— Cali, selon elle. Tu connais Chloe, il faut toujours qu'elle maltraite un peu la langue.

— Et elle va bien ?

— De ce que j'en sais.

— On dirait que tu en doutes.

— Elle est devenue très secrète. Du moins avec moi.

— Elle est célibataire?

— Elle a quelqu'un. C'est tout ce qu'elle me dit.

— C'est qui?

— C'est ce que je lui ai demandé.

— Et?

— Elle me répond, de la plus charmante des façons, que ce n'est pas mes oignons.

— Pas tes oignons. C'est elle qui utilise cette expression?

— Qui d'autre?» Sally est restée silencieuse un moment. «Ils s'éloignent, n'est-ce pas? C'est assez troublant. Tu te demandes toujours s'il y a quelque chose que tu as fait. Ou que tu as trop fait.

— Je ne te suis pas.

— Bien, figure-toi.» Sally a déplacé ses béquilles pour se redresser. «C'était une enfant si facile à vivre, le genre d'adolescente qui chantonne en faisant ses devoirs. Tapotait son crayon, chantonnait et écoutait la télé tout en même temps. Puis un jour elle est rentrée plus tôt de l'école secondaire, elle a bu une demi-bouteille de la vodka de Marek, puis elle a appelé son professeur d'anglais pour lui dire qu'elle lâchait l'école, qu'elle en avait assez d'être une lèche-cul et une conne. Textuellement. "Une lèche-cul et une conne."

«Elle s'est mise en pyjama et au lit, puis elle a vomi si violemment qu'une veine a éclaté dans sa gorge. La vue du sang sur les draps l'a désarçonnée. Elle a appelé l'ambulance qui l'a transportée à l'hôpital en civière. Il paraît qu'elle a envoyé la main au voisin en sortant.

«Ils ne lui ont pas fait de lavage d'estomac, rien du genre. Ils lui ont seulement donné un sérieux avertissement et l'ont renvoyée à la maison le soir même. J'ai attendu un jour ou deux, qu'elle se soit remise sur pieds, puis je lui ai dit: "À quoi diable pensais-tu, boire comme tu l'as fait? Appeler Mr. Reed?" Et elle ne faisait que répéter: "Je me sens tellement triste. Tellement triste."

«Et je lui ai demandé pourquoi elle était aussi triste.

«Elle a dit: "Je peux pas dire. Je sais pas. Je suis juste triste."

— Est-ce que c'est moi? Est-ce que je te rends triste?

— Non, non, maman, elle a dit, sois pas ridicule. Tu me rends heureuse. Ç'a rien à voir avec toi."

— Et t'as jamais pu savoir ce que c'était ? j'ai demandé.

— Non, pas vraiment. Mais elle était différente, après ça. Elle ne voulait plus aller à l'université ici. Je lui ai dit : "Tu pourrais toujours rester dans une résidence au centre-ville, sur le campus", mais non, non, elle voulait sortir de la ville – s'éloigner de *moi*, je pense. Elle a envoyé une tonne de demandes d'admission, toutes en dehors de la ville. McGill lui offrait une bourse. Alors elle est partie. Marek et moi l'avons mise dans une petite camionnette jaune avec deux de ses amies de l'école et je l'ai vue s'éloigner sur ma rue par une fin d'après-midi d'été, et voilà. Elle était partie.

— Ç'a été douloureux ?

— Oui, au début. Très douloureux. Étonnamment douloureux. Je me suis assise dans le salon avec Marek et j'ai bu de la vodka en fumant un paquet de cigarettes entier. Mais c'est ainsi que doivent se dérouler les choses : les plus sains nous laissent derrière. Il n'y a que les malades qui restent à la maison.» Pause. «La vérité, c'est que je crois qu'elle avait simplement passé l'âge d'être avec sa mère.

— Et toi, tu n'avais pas passé l'âge d'être avec ta fille ?

— Ça n'arrive jamais, ça. C'est un peu à sens unique, cette histoire.

— Est-ce que tu la vois? Tu lui parles?

— Oh oui, souvent. Ce n'est pas un problème. Mais elle est réservée, maintenant. Il y a certaines choses que je n'ai tout simplement pas le droit de demander. Je ne suis même pas certaine qu'il y a *vraiment* des choses à savoir.» Elle a soigneusement levé son verre et pris une gorgée. «À moins que tu ne saches des choses.

— Moi?

— Tu lui parles un peu. Je sais au moins ça, elle a dit.

— Je lui parle. Mais pas beaucoup.

— Dis-moi. Je suis affamée. J'ai soif d'en savoir plus sur sa vie.

— Ça va probablement te surprendre.

— Dis-moi, je t'en prie.»

Alors je me suis versé à boire, un coup bien solide, et je lui ai dit ce que je savais. «Ça devait être lors de sa deuxième année à McGill. Oui, c'est ça. Elle étudiait la littérature russe et elle avait un appartement gigantesque, rue Sainte-Famille, dans le ghetto étudiant. Elle était en charge de la vie sociale. Beaucoup de fêtes. Tellement, en fait, que la police l'appelait par son prénom. Mais tu connais Chloe, quand elle joue le jeu, quand elle allume son sourire de lampe solaire, elle est irrésistible.

— Continue, a dit la mère. J'adore.» Elle regardait un film, celui où sa jeune fille commençait sa vie dans le vaste monde.

«J'avais à faire à Montréal ce week-end-là, un malentendu avec un fournisseur – je travaillais dans le pharmaceutique, à l'époque. J'ai appelé Chloe, pour lui dire que j'allais être en ville, voir si elle était libre. J'étais pas assez fou pour accepter d'aller rester chez elle. J'ai besoin de huit heures de sommeil et je sentais que je ne les aurais pas. De toute façon, une des filles avec qui elle partageait l'appartement, Miranda Treece, une Texane maigrichonne, était bien trop sexy pour que je la côtoie tout un week-end. Je l'avais rencontrée une fois, devant le Park Plaza à Toronto, et l'idée de la voir se promener dans l'appart les cheveux sales, t-shirt déchiré et jean en lambeaux – enfin, tu vois ce que je veux dire. Oublie ça.

«J'ai pris le train à partir de Toronto – ça me semblait plus romantique – et une chambre à l'hôtel Nelligan dans le Vieux-Montréal.

«Il se trouve que Chloe était amoureuse, ce trimestre-là, du tromboniste de l'orchestre swing de l'université. Elle voulait que j'aille le voir ce soir-là. T'as déjà entendu parler de ce garçon?

— Pas sous l'angle amoureux.

— À neuf heures, j'étais assis dans ma chambre d'hôtel sur la rue Saint-Paul, j'attendais qu'elle vienne me chercher. Dix heures a sonné, puis onze, puis minuit, et là j'étais plus enragé qu'offensé alors j'ai débranché le téléphone, je me suis mis sous une de ces couettes canadiennes-françaises moelleuses et je me suis endormi.

« En tout cas, j'ai dû m'endormir. Parce que j'ai fait un petit rêve. Je marchais le long d'une rue tranquille à Amsterdam quand un arbre s'est fendu et s'est effondré dans le canal près de moi. Bien sûr, il n'y avait pas d'arbre — c'était le bruit que faisait Chloe en cognant ses jointures osseuses contre ma porte. Il était deux heures du matin. J'ai regardé par le judas. Un œil fixe cerclé de maquillage noir me scrutait de l'autre côté. Ce que porte Keith Richards.

— Du kohl.

— C'est ça. J'ai ouvert la porte et j'ai dit: "Chloe, c'est ridicule de te pointer à cette heure-ci."

« Il y avait quatre belles jeunes femmes dans le couloir. Visages maquillés, robes à franges, bouffées de parfum. On aurait dit des stars de cinéma.»

Sally écoutait avec une attention immobile. «Dieu qu'elle est belle, n'est-ce pas? Même si on divise par deux parce que je suis sa mère.»

J'ai poursuivi. «Je les soupçonnais d'être des filles à martini, une espèce onéreuse. J'avais des soucis d'argent cette année-là. Tu te souviens peut-être de notre courtier de famille, Clyde Meadows?

— Non, je n'ai jamais eu de cet argent-là. Mais continue, continue.

— En tout cas, Clyde Meadows, le pauvre enfoiré, s'est tiré une balle dans la cave à vin de son manoir, à Rosedale. Mais pas avant de perdre presque tout mon héritage. Et celui de Jake.»

Sally a demandé: «C'est le gars dont la femme a disparu quelques semaines avec un masseur mexicain?

— C'est lui. En tout cas, j'étais passablement fauché. D'où ce travail stupide pour la compagnie pharmaceutique. Et je savais qu'en sortant avec ces quatre cygnes, j'acceptais tacitement de payer pour tout.

«Mais elles étaient irrésistibles – leur enthousiasme, leur beauté, leurs parfums. Miranda, mon Dieu. Elle portait une robe à bretelles spaghetti et un boa de plumes autour de son cou. Je ne me souviens plus de l'endroit où se trouvait le club, seulement que le groupe était en pleine performance quand on est arrivés. Ils jouaient un standard de Glenn Miller, "Moonlight Serenade". On se serait cru dans un film de Woody Allen.

«Chloe m'a montré le joueur de trombone. Le cauchemar classique pour une jeune femme : lèvres magnifiques, épaisse chevelure, joues roses, cette façon naturelle, décontractée de tenir son instrument entre les riffs. Tu voyais bien qu'il tenait tout ça pour acquis – sa beauté outrancière, les filles alignées devant la scène, sa jeunesse éternelle. Il était une star, et je savais qu'il allait la faire souffrir.

— Et c'est ce qui est arrivé ?

— T'as jamais entendu cette histoire ?

— Pas un mot. Je pense qu'elle croyait alors qu'elle en avait déjà *assez* dit à sa mère. Comme si le seul fait d'en parler allait lui porter malheur.»

J'ai pris une gorgée de mon verre. J'étais passablement saoul. «Il faut être vieux pour dire qu'il y a un bon côté à la souffrance. Mais souvent il y en a un.

— Comment ?

— Eh bien, j'imagine que c'est grâce au tromboniste que Chloe et moi avons appris à nous connaître cet hiver-là.

«Elle m'a appelé – interurbain – le dimanche suivant. Le prétexte, c'était un appel de courtoisie. Merci d'être venu, d'avoir fait passer une si belle soirée à tout le monde. Deux cents dollars! Misère. Mais il y avait une certaine amertume qui planait sur la conversation, et je sentais qu'elle n'était pas tout à fait confortable. J'hésitais à l'interroger, par contre. Généralement, j'essaie d'éviter de questionner les jeunes femmes sur leurs échecs amoureux – cette familiarité a quelque chose d'émasculant.

«Mais je sentais qu'elle était au bord de quelque chose, qu'elle n'avait besoin que d'une petite poussée d'encouragement pour s'en débarrasser, comme pour tirer une écharde de son doigt. Et bien sûr, au bout d'un moment, c'est sorti. Après la soirée au club, les trois – Chloe, le tromboniste et Miranda Treece, la fille avec le boa de plumes – avaient partagé un taxi pour rentrer. Ils se sont d'abord arrêtés chez le tromboniste. Il est sorti de la voiture. Miranda, qui était assise à l'avant, est sortie à son tour, pensait Chloe, pour changer de place. Elle ne pouvait pas voir ce qui se passait, mais ça prenait beaucoup de temps pour un simple au revoir, et quelques minutes plus tard, Miranda a passé son long cou par la fenêtre pour dire qu'elle allait rester un peu dans le coin. On se revoit plus tard à l'appart.

«Imagine, notre petite Chloe, toute seule à l'arrière d'un taxi, retournant à son appartement vide un samedi soir. Juste d'entendre l'histoire, j'en avais le cœur brisé. Vraiment. Ça me rappelait mes propres déceptions. Tout le monde en a. Toi avec Terry Blanchard, moi avec l'Allemande à l'université, maintenant Chloe. D'une certaine façon, les détails ne sont jamais importants, même si sur le coup, on dirait que rien d'autre n'importe. Ils semblent uniques, d'une façon cruelle et inventive. Mais ils le sont pas, bien sûr. En bout de ligne, toutes les peines d'amour se réduisent à une chose : Tu veux quelqu'un qui ne veut pas de toi. Ou qui ne te veux pas autant que toi tu le veux. Un milliard de variations, mais toujours la même blessure. Et même si M. Trombone était myope, même si une fin malheureuse l'attendait d'ici quinze ans, à ce moment-là, la vérité la plus plate c'était qu'il préférait la maigrichonne du Texas.

«La punition aurait dû suffire. Mais la vie peut être inventive dans sa méchanceté – assez pour nous faire croire en une déité malveillante –, ce qui fait que Chloe, en plus de voir l'intérêt que lui portait le jeune musicien décliner dans ses yeux bruns, elle a été forcée d'entendre les cris de plaisir nocturnes de

Miranda Treece dans sa chambre ; d'après Chloe, on aurait dit "qu'ils égorgaient une truie, là-dedans !"

« J'ai offert les conseils impuissants que les gens non impliqués offrent toujours. J'ai suggéré que la prochaine fois qu'elle irait au bâton, elle devrait se rendre un peu moins disponible – modérer les coups de fil et les visites de bon voisinage. Chloe est une petite chose fébrile, tu le sais mieux que moi, et elle veut toujours que les choses se passent comme elle l'entend. J'ai essayé de lui expliquer, ce dimanche matin-là, que les hommes n'aiment pas que les poissons sautent directement dans leur chaloupe. Je m'attendais à recevoir un éclat de rire satisfaisant. J'ai plutôt rencontré un silence de granit.

« Chloe, chérie, j'ai dit, j'essaie juste d'apporter un peu de légèreté dans tout ça. C'est pas une question de vie ou de mort.

— Pour moi, oui", elle a dit doucement.

— Elle a dit ça ? a demandé sa mère.

— Oui, mais attends, attends. L'histoire n'est pas finie. »

Je me suis levé pour me verser un verre d'eau, j'y ai jeté une poignée de glaçons. Il y avait un minuscule marteau qui me frappait la tempe droite, et une promesse de pires choses à venir. J'ai même pensé

me réserver un des somnifères de Sally pour la bru-
tale gueule de bois qui s'approchait derrière moi
comme un train silencieux.

Je me suis rassis. «Je l'avoue, je sentais mon cœur
se serrer pour Chloe, pour la douleur qu'elle ressen-
tait, et son issue probable, c'est-à-dire que les choses
allaient continuer comme ça un moment, ces fièvres
nocturnes, mais qu'après, comme toutes les passions
non réciproques qui naissent dans le corps d'une
âme saine – et si on peut dire une chose de Chloe,
c'est qu'elle a l'âme robuste –, ça allait s'éventer,
perdre de son pétillant, jusqu'à ce qu'elle retrouve
un état de stupeur déconcertée. Un état de *Qu'est-ce
qui m'a pris*? Mais ça prendrait un certain temps. Le
temps ralentit pour les cœurs brisés. C'est comme
arroser ses ongles: ils poussent à la vitesse qu'ils
poussent et pas une seconde plus vite.

— Tu lui as dit ça?

— Oui, mais c'est comme la conversation que
t'as eue avec ta mère dans la voiture à propos de
Terry Blanchard. Chloe s'est sentie mieux un moment. Elle a même ri aux éclats, de temps à autre, de
toute cette histoire. Mais je savais que quand elle
raccrocherait, elle se sentirait comme une merde à
nouveau.

« Parfois, ces soirs-là, quand j'oubliais d'éteindre la sonnerie du téléphone, il se mettait à sonner à trois heures du matin. "Oncle M.? " disait la voix d'une jeune fille. Mais j'étais heureux de l'entendre. Même si c'était juste pour me dire que le trombo-niste sentait les bananes quand on s'approchait de lui, ou la dernière stupidité prononcée par Miranda. Je traversais une période de solitude, alors. J'étais redevenu célibataire, ma copine américaine était re-tournée à ses racines, en Arkansas, et je commençais à trouver que c'était fatigant, me faire de nouveaux amis. Trop de travail, tout ça – les soupers, les conver-sations, les mêmes vieilles histoires ressorties encore et encore. C'était comme aller au gym.

« Je passais mes journées sur les routes de cam-pagne de l'Ontario et je livrais des sièges de toilette dernier cri, des bas de contention, des stabilisateurs pour cheville, des appareils pour mesurer la pression sanguine, des marchettes – avec ou sans roues – dans les pharmacies des petites villes. Elle n'a pas duré long-temps, cette saison en enfer, mais ça m'a toujours semblé être un manque de sang-froid de ma part que d'avoir entrepris une activité aussi ridicule-ment inadéquate, même dans un moment de panique financière.

— Mais tu ne vois sans doute plus les choses comme ça? Moi ça me semble plutôt admirable, m'a interrompu Sally.

— Qu'est-ce qu'il y a d'admirable là-dedans?

— Le simple fait de le faire. De se lever et de le faire sans se plaindre.

— Je me plaignais abondamment, t'inquiète pas. Mais bon. De décrocher le téléphone et d'entendre la voix de Chloe, l'ardente vivacité que j'avais perçue ce soir-là dans le lobby de l'hôtel, ça me permettait de croire que je ne me tenais pas en *marge* de la vie, mais que j'en occupais, ne serait-ce que vaguement, le cœur même.

« Elle a fini par oublier le joueur de trombone, puis les quelques autres qui ont suivi, une série de joyeux mélodrames, d'autres garçons avec d'autres trombones. Je dis "joyeux" parce que même si Chloe se plaignait de l'arrogance d'untel ou du manque de sensibilité d'un autre ou des ennuyeuses addictions d'un troisième, il y avait une légèreté dans son rire, une envie de se faire taquiner. "Oncle M., elle disait, *please!* Arrête, je t'en prie!" Ce qui voulait dire: J'en veux plus, j'en veux plus. Elle aimait recevoir cette attention, je crois. Dans la pénombre de ma chambre, je l'imaginais lever son visage vers le plafond avec un rire irrépressible, comme pour souffler une bouffée de fumée.

«Secrètement, pour être honnête, j'avais de la sympathie pour ces jeunes hommes qui cherchaient poliment la sortie de secours. Chloe pouvait être si épuisante ; un être à haut voltage ! Comme si elle était née avec seulement deux vitesses. Endormie ou hystérique.»

Sally a ri, et moi aussi.

«"Peut-être, je lui ai dit un soir au téléphone, que tu devrais essayer les hommes plus vieux." J'avais en tête quelqu'un du genre de Gérard Depardieu. Tu le connais ?

— Oui, oui. Divin.

— Un homme costaud, bâti, dont la stature physique et émotive pourrait donner à notre petit colibri le perchoir qui lui faut.» (Il faut dire – chose dont je n'ai pas parlé à ma sœur –, que j'avais moi-même une petite faiblesse pour Chloe, et je m'étais réveillé quelques fois en me jouant quelques scénarios qui n'ont pas besoin d'être décrits ici et auxquels il ne fallait surtout pas donner suite. Puis je croyais alors que les goûts de Chloe allaient vers les grands et beaux garçons à l'orientation sexuelle ambiguë. On aime ce qu'on aime, y a rien de plus à ajouter là-dessus.)

«"Peut-être que tu devrais oublier les gais, je lui ai dit une autre fois." (J'avais bu.) Ma suggestion a produit quelques notes d'amusement dans lesquelles j'ai décelé un soupçon de gratitude. Ça lui enlevait peut-être un poids. C'est une chose que d'être laissée par un jeune tromboniste aux lèvres pulpeuses, mais c'est bien différent quand c'est un homosexuel qui repousse tes avances.

«"Okay, Oncle M., elle a dit, fini les tapettes, promis." Et une autre bouffée de fumée invisible au plafond.

«Puis je n'ai plus eu de ses nouvelles. Peut-être qu'elle avait eu de moi ce qu'elle voulait, elle était passée à autre chose, je ne sais pas. Mais je l'ai vue sur le trottoir à Toronto, environ un an plus tard. C'était l'Action de grâce, un jour sans joie, digne de Herman Melville. Elle était en ville pour le long week-end. J'ai arrêté mon vélo sur le bord du trottoir. Son visage s'est illuminé. Elle s'en allait chez Holt Renfrew à ce moment-là, grand solde de robes. Un gros sac d'emplettes pendait à son poignet. Elle avait déjà commencé depuis un moment. Son magasinage, je veux dire.

«J'ai remarqué, par contre, que le rouge sur ses joues n'était pas uniforme, les petits cercles roses n'étaient pas pareils. Elle était peut-être pressée en partant de chez toi ce matin-là et s'était maquillée en vitesse. Mais il y avait quelque chose dans son apparence, ce rouge appliqué à la hâte, qui me rendait triste. C'était peut-être cette journée d'automne – l'automne est toujours une période de nostalgie persistante, pour moi. Peut-être que je projetais mes propres déceptions sur elle. Mais je pense pas. C'était plutôt, je pense, l'image de cette jeune femme en plein shopping, dont le jeune corps était en quelque sorte gaspillé dans cette activité. Au lieu de traîner avec un sac d'emplettes sur le trottoir par une triste matinée, son jeune corps aurait dû être allongé dans la pénombre d'une chambre, les rideaux ondulants, la chaleur du corps d'un amant à portée de main. Quel gaspillage, cette capacité d'aimer et d'être aimée et personne avec qui la partager.

« Mais attends. Attends. Les choses ont changé. »

○

Il était passé minuit. Je nous ai servi un autre Drambuie. Sally et moi, dans son appartement au dix-huitième étage.

«Merde, elle a dit, il faut que je retourne à la toilette. Voudrais-tu me tendre mes béquilles?»

Je l'ai aidée à se lever. Elle a tourné vers moi un visage blême. «Ça devient de moins en moins gérable.» Je l'ai aidée à se rendre dans la salle de bain. Il y avait toutes sortes de choses là-dedans qu'on ne voit pas dans une salle de bain ordinaire. Et une odeur chimique qui ne semblait pas humaine. Comme du liquide d'embaumement. Et ça m'a frappé en cet instant, que c'est ainsi qu'elle devait se sentir: embaumée. Et qu'elle en avait assez, de ça, aussi, et des choses qui venaient avec. Je me suis demandé, aussi, qui avait téléphoné, et si j'aurais dû répondre. On ne sait jamais. Mais aller contre sa volonté me semblait comme une violation de notre entente, de ma promesse.

Tandis que j'attendais qu'elle sorte des toilettes, j'ai pensé à ces mots: «Ça devient de moins en moins gérable.» C'était la deuxième fois qu'elle utilisait ces mots précis, ce qui m'a remis en mémoire un épisode qui s'était produit à peine quelques mois plus tôt. Je m'étais arrêté chez elle sans m'annoncer en fin d'après-midi, l'obscurité hivernale s'accumulait déjà comme de la suie entre les gratte-ciel voisins, des sapins de Noël abandonnés jonchaient la rue sur toute sa longueur. C'était les dernières heures d'un jour morose de janvier à Toronto, quand même les âmes les plus joyeuses se surprennent à caresser une longueur de corde et à jeter un œil appréciatif vers les poutres du plafond. (Je grossis le trait, un peu, mais tu vois ce que je veux dire.)

J'ai sonné. La porte de verre s'est déverrouillée d'un clic. J'ai pris l'ascenseur puis j'ai longé le corridor, qui sentait comme toujours les épices odorantes et les grosses familles. Derrière une porte, la voix aiguë d'une femme chantait accompagnée d'un instrument à cordes, comme en deuil d'une mort récente. Derrière d'autres portes, des voix animées montaient puis disparaissaient.

Sally portait sa robe verte ; ses yeux étaient soigneusement maquillés, un peu de fard sur les joues, rouge à lèvres discret. Elle se tenait au centre de la pièce, un peu chancelante sur ses béquilles. Elle était manifestement sur le point de sortir.

«Je m'en vais voir…» Elle a nommé un évangéliste pentecôtiste, un preacher au bronzage perpétuel dont l'hétérosexualité peu convaincante et les promesses d'un autre monde m'avaient hypnotisé pendant des années à la télé, lors de ces après-midi où une gueule de bois de nicotine et de bourbon faisait d'une sortie à l'extérieur quelque chose que tu reportes jusqu'à la nuit tombée.

Ça me rendait perplexe, qu'elle aille à une rencontre pentecôtiste. À quoi diable est-ce qu'elle pensait? Ou plutôt, est-ce qu'elle pensait tout court? Sally était une femme rigoureusement intelligente, une observatrice du monde étonnée et éloquente, et le fait qu'elle reçoive les mots d'un baratineur en habit pastel me semblait tragique.

Que poursuivait-elle, dans ce taxi trop cher jusqu'aux Maple Leaf Gardens, assise au premier rang dans une ligne scintillante de fauteuils roulants et de béquilles, de membres paralysés et de sourires tordus? Est-ce que ma sœur en était à un tel stade de désespoir, à un tel degré d'écœurement que, comme Pascal et son pari sur l'existence de Dieu, elle avait mis son gros bon sens en veilleuse pour contempler la possibilité qu'un millionnaire efféminé du sud puisse imposer ses mains sur ses jambes et leur redonner vie?

Je n'ai pas posé de question. J'avais peur, je suppose, de la réponse. (Je manquais tellement de générosité, à cette époque.) Je l'ai simplement accompagnée dans l'ascenseur et je l'ai installée à l'arrière d'un taxi, et je lui ai envoyé la main tandis que les feux arrières disparaissaient dans la pénombre de ce début de soirée.

Au cours des mois suivants, mes pensées retournaient parfois à cette rencontre pentecôtiste, à elle, debout au milieu de la pièce dans sa robe verte, détournant le regard, une infime seconde, au moment de me dire où elle allait. Je n'y ai jamais repensé, jamais, sans un profond malaise. Mais dernièrement, j'ai changé d'idée. Ou de sentiment, peut-être. Maintenant, je la vois différemment, cette soirée, cette descente parmi les âmes blessées, brisées et affamées, je la vois comme quelque chose de profondément touchant : son audace, sa volonté d'essayer *n'importe quoi*, même avec un sourire en coin, pour avoir une dernière chance de réclamer un peu de bonheur ordinaire. Quand je pense à ma Sally chérie, je reviens toujours à ce mot : *héroïque*.

(Est-ce que les morts nous pardonnent ? Je me le demande.)

Elle a tiré la chasse d'eau ; la porte de la salle de bain s'est ouverte. Sally est sortie. De toute évidence, elle avait pensé à quelque chose, là-dedans. Elle a dit : « Te souviens-tu de cette émission de télé sur laquelle Chloe a travaillé ?

— L'imitation de drame policier américain.

— Oui, celle-là.

— Bien sûr, je me souviens. Chloe pensait que c'était une façon d'entrer dans le monde de la scénarisation. "Payant, mais stérile", c'est ce que je lui ai dit.

— Mais ça semblait si prometteur, à l'époque. Un instant, elle était toute pimpante, puis l'instant d'après, elle voulait quitter la ville.

— Tu connais pas cette histoire ?

— Ne me fais pas languir. Dis-moi.

— Eh bien… j'ai entrepris, un peu malicieux. Comment dire… Au lieu d'écrire des dialogues du genre "Éloignez-vous du véhicule" ou "Que dit le rapport du labo ?", elle a fini dans le lit du réalisateur. Il était marié, naturellemment, un petit sorcier vaniteux qui aurait pu devenir un Martin Scorsese ou un Tarantino – il avait l'œil –, mais il ne pouvait tout simplement pas dompter son goût pour l'alcool et la cocaïne et les jolies assistantes avec des calepins de notes, et il a fini réalisateur *big-shot* dans le dépotoir de la télévision canadienne. Et ça, c'est une tragédie. Pas le fait d'avoir couché avec lui.

— Tu le connais ? elle a demandé.

— Vaguement. Mais je l'aime bien. C'est un raté, mais un raté doué. Mais bon, ce que Chloe n'a pas compris, dès le départ, c'est qu'elle n'était plus à l'université, et que dans le monde des adultes, quand tu couches avec le mari d'une femme, surtout une femme qui vient d'avoir un *bébé*, les conséquences sont, disons, différentes. Ce n'était pas une reprise de Miranda et le tromboniste. Quelques semaines après le début de la première saison, la femme du réalisateur a eu vent des rumeurs. Elle s'est pointée chez Chloe. Elle a mis un couteau japonais contre sa *propre* gorge et elle a dit que si elle, Chloe, n'arrêtait pas de coucher avec son mari, elle (la femme) se trancherait la gorge d'une oreille à l'autre.

« Le drame s'est déroulé sur plusieurs mois : crises d'hystérie, bouderies, confessions alcoolisées, gueules de bois carabinées et scènes de ménage publiques, jusqu'à ce que le réalisateur accomplisse son destin, à savoir retourner chez sa femme, la queue entre les jambes, et s'offrir un solide séjour, bien que bref, dans la clinique de désintox de Hillside en Georgie. Huit mille dollars par semaine. N'empêche qu'un mois plus tard, il s'envoyait des shooters de vodka russe et se faisait arrêter, écoute ça, pour avoir tenté d'étrangler sa femme à l'extérieur d'un restaurant de Yorkville.

« Les spécialistes de la dépendance ont beau dire, la seule façon de se remettre de la perte d'un amant, c'est de trouver un corps qui nous allume autant que celui qu'on vient de perdre. Je parle d'expérience. (Et d'expérience répétée, même.) Mais quand on est jeune, on pense que la solution, c'est de partir, et c'est ce que Chloe a décidé de faire. Elle a pensé aller étudier en droit, quelque part "cool" – Mexico, les Caraïbes, éventuellement. Elle se voyait criminaliste, offrant aux dealers jamaïcains et portoricains le cadeau d'un peu de jurisprudence équitable. Mais après quatre ou cinq jours passés dans les salles du palais de justice sur University Avenue, elle en est venue à la conclusion que pratiquement tout le monde là-dedans était coupable. Mais le pire de tout, selon elle, c'était le spectacle quotidien des portes tournantes de la justice qui tourbillonnaient comme un ventilateur infernal, vomissant les mêmes délinquants et les mêmes avocats en burn-out, semaine après semaine. Un jour elle m'a dit au téléphone : "J'ai vraiment l'impression que ce qu'il y a de mieux, en droit, c'est les études. Après ça, c'est la dégringolade." Selon moi, elle avait raison, et je le lui ai dit. Mais étant donné l'occupation professionnelle que j'avais à l'époque, je ne suis pas certain que c'était prudent de ma part.

— Et c'est ce qui l'a menée en Californie ?

— C'est ici que l'histoire devient intéressante. Après l'émission de télé, elle a glandé à gauche, à droite. Elle a écrit la moitié d'un roman à propos d'une jeune femme qui tombe amoureuse d'un réalisateur télé. Mais la vérité, c'est que Chloe n'a jamais vraiment aimé sa propre compagnie, ou s'asseoir en tête à tête avec ses propres défauts (qui aime ça?), alors elle a laissé tomber. Pendant quelques mois, elle a enseigné l'anglais à des réfugiés cambodgiens à Vancouver, puis elle a travaillé de nuit à SOS Suicide. Puis elle a offert ses services de rédaction. Puis elle a peint les décors pour un film d'horreur à petit budget, *Santa Claws*. Rien n'a vraiment marché. Elle m'a appelé un soir, elle avait bu, pour me dire qu'elle allait revenir à Toronto, qu'elle voulait aller aider "les petits bébés en Inde". Et elle y croyait. Mais elle n'y est est jamais allée.

— Oui, a dit Sally, je me souviens de cette tocade. La période des petits bébés indiens.

— Un jour qu'elle travaillait dans une librairie, elle est tombée sur un exemplaire du *Vanity Fair*. Sur la couverture, il y avait une photo de l'équipe de rédaction du magazine, des jeunes, pour la plupart, assis sur des bureaux, parlant au téléphone. Elle me l'a faxée. C'est ça que je veux faire, m'a-t-elle écrit, je veux faire quelque chose *avec des gens*. Et ça y était, l'année d'après, elle était en Californie, en train de faire des études très dispendieuses en journalisme.

— Mais *d'où* venait l'argent? Pas de moi. Et certainement pas de son père, a dit Sally.

— Sa façon de s'y prendre, c'est du pur Chloe. D'autres auraient pu le faire, mais pas avec autant de panache. Elle disait que c'était son PS. Son Projet Secret. Quand je posais des questions, elle se refermait comme une huître, devenait mystérieuse. Jusqu'à ce qu'elle sente que je commençais à m'énerver – je n'ai pas beaucoup de patience pour les intrigues – et m'avoue tout. Écoute ça. Elle a écrit une lettre aux quinze personnes les plus riches du Canada et leur a demandé de financer ses études. "Je suis Chloe Saunders, déclarait-elle, et j'aimerais faire une maîtrise à l'université de Berkeley en Californie. Les frais sont de quarante mille dollars par année. En échange de votre appui, je vous écrirai une lettre par mois racontant les détails de ma vie sur la côte ouest."

«La proposition était absurde, mais je déteste les écrabouilleurs de rêves, alors je n'ai rien dit. Quatorze millionnaires ont envoyé leurs plus plates excuses, mais le quinzième, le propriétaire à la retraite d'une série de mines de cuivre à travers le monde, a mordu. Est-ce qu'il pouvait voir sa lettre d'acceptation? Elle la lui a envoyée. Une semaine plus tard, elle recevait un télégramme: "Faites vos valises, Chloe Saunders, vous êtes en route pour Berkeley".

— En échange de quoi?

— C'est exactement ce que j'ai demandé. Mais en fin de compte, c'était en échange de rien. En fait, le gars signait les chèques du compte de sa *femme*.» J'ai continué: «Je me suis souvent interrogé, à propos de ce geste, du fait qu'elle écrive à des inconnus et leur demande de l'argent, avec l'assurance d'une enfant adorée. Où a-t-elle pris cette incroyable confiance? Et maintenant je comprends, et non sans une certaine envie, que la réponse se trouve dans la question. Elle était une enfant adorée. Et c'est toi, ça, Sally. C'est toi.»

Nous sommes restés silencieux un moment. Puis Sally a dit: «Je n'invente pas d'excuses, à Chloe, pour m'avoir complètement coupée de pans entiers de sa vie, mais elle a souvent eu à faire des choses que les autres petites filles ne faisaient pas, des choses qui le plus souvent étaient faites pour elles. Elle a dû apprendre à faire l'épicerie, à acheter du pain brun et pas du pain blanc, à acheter des céréales santé, pas les trucs sucrés que mangeaient ses amis ; comment savoir si un melon est mûr ; comment séparer les blancs des couleurs, en bas, dans la salle de lavage ; comment faire des œufs brouillés (pas de lait, à feu doux). Comment conduire une voiture l'hiver (tourner *dans le sens* du dérapage). Elle a dû apprendre à ne pas oublier son lunch, parce qu'elle avait une mère qui ne pouvait pas passer à l'école pour le lui apporter. Tout ça a dû être bien difficile.

— Peut-être, mais ça l'a rendue *exceptionnellement* futée.

— Ça fait presque peur. Mais continue, je t'en prie.

— Ç'a dû être une période solitaire, ces premiers mois dans une ville américaine. S'installer dans un petit appartement, souper toute seule. Essayer de se faire des amis sans donner l'impression d'être désespérée. Elle a recommencé à m'appeler. Chloe m'appelle seulement quand elle est morose. Mais ça va. Elle a joint un club de "Nouveaux venus à Berkeley" ; elle est même allée à l'église quelques fois. Elle est allée aux Alcooliques Anonymes, pas parce qu'elle avait un problème d'alcool, mais parce qu'il y avait des gens. Parce qu'ils allaient tous prendre un café après les réunions et que tout le monde était bienvenu.

«Et puis, par un soir pluvieux de novembre, une jeune femme est entrée, a replié son parapluie et s'est jointe au cercle de chaises. C'était Miranda Treece, sa vieille ennemie de Montréal. Et elle *avait* un problème d'alcool. Elle avait accompli bien peu de choses depuis le temps, à part vivre aux crochets de sa famille et baiser un paquet de gars. Elle avait échoué à Berkeley après une histoire d'amour ratée et elle n'avait pas eu le courage de quitter la ville. Je ne connais pas les détails, je ne sais pas à quel moment ça s'est produit, mais un jour Chloe a trouvé un petit colis dans sa boîte aux lettres. Elle l'a ouvert. C'était un t-shirt. Et le t-shirt était accompagné d'un mot écrit à la main : *J'ai porté ceci pendant trois jours. Si tu en aimes l'odeur, appelle-moi.* C'était signé *Miranda*. Et voilà toute l'histoire.»

J'ai regardé Sally. Elle fronçait les sourcils comme si elle ne m'avait pas bien entendu. Mais je voulais qu'elle entende la fin de l'histoire avant de réagir. «Chloe a toujours été très secrète sur ce chapitre de sa vie, même avec moi. Ce qui est étrange, parce qu'elle faisait preuve d'une candeur alarmante quand venait le temps de me parler de ses relations avec les hommes. Mais là, non. Quand je l'ai vue sortir d'une salle de cinéma de Toronto avec Miranda, un après-midi, un an ou deux plus tard, il y avait une lumière sur ses joues, ces belles joues qui m'avaient rendu si triste par un après-midi de novembre, sur un trottoir. C'était le genre d'illumination qui vient du fait d'être aimé physiquement, même un imbécile pouvait le voir.»

J'ai arrêté de parler. Nous avons regardé la flamme de la bougie. Un autre avion, sa queue illuminée comme celle d'un poisson rouge vif, a descendu sur l'aéroport. Les événements qui se sont produits dans le sillage de cette conversation me semblent encore extraordinaires, cette façon qu'a la vie de s'accomplir, ou pas. Et pour qui. Mais voici une chose qui *s'est* accomplie. Faisons un saut dans le temps, huit ou neuf années après cette soirée au dix-huitième étage. Chloe et Miranda étaient venues souper chez moi avec leurs deux enfants (pères gais, poire à jus, tout est dit). Je les regardais, assises au bout de la table, et je ne pouvais m'empêcher de penser, Comme c'est délicieux, comme c'est mystérieux que Miranda, le grand amour de Chloe, aujourd'hui son épouse légitime, soit la même fille qui l'a jadis détournée d'un garçon qui maintenant, d'après ce que j'ai entendu, fait la livraison d'alcool dans une petite voiture verte pour un fournisseur d'*after-hours*. Vers la fin de la soirée, Miranda s'est tenue en parfait équilibre sur les mains. Les enfants étaient complètement émerveillés. Il se trouve qu'elle avait été la championne de gymnastique de San Antonio lors de sa dernière année de secondaire.

Cinq

Il était près de trois heures du matin. Le vrombisse-
ment du réfrigérateur s'est arrêté, plongeant la pièce
dans un silence audible. On aurait dit que les rideaux, les lampes, les tableaux sur le mur étaient tous
en attente, eux aussi. J'étais debout à la fenêtre, je
regardais le stationnement en bas. Un homme avec
une veste blanche marchait entre les voitures et s'est
avancé sous un lampadaire. Il a levé la tête. Nous nous
sommes regardés pendant un moment, anormalement
long. Puis il a envoyé la main, un grand mouvement du bras, comme s'il était sur un bateau et qu'il
essayait d'attirer l'attention d'un cargo de passage.

Mais je ne lui ai pas répondu. Il semblait porter malheur, et je me suis éloigné de la fenêtre.

Sally est sortie de la salle de bain et s'est assise lourdement dans le creux du divan, sa place habituelle, puis elle a soigneusement placé ses béquilles d'un côté, les a tenues un moment pour s'assurer qu'elles ne tombent pas à la renverse. «Je suis prête à faire cette chose, maintenant», elle a dit.

J'ai regardé son visage. Il était gris et un peu enflé, le visage d'une personne épuisée, d'une fêtarde arrivée au bout de la nuit et qui le sait, mais qui est trop épuisée, parmi les fleurs fanées et les fromages suintants et les verres à vin tachés de rouge à lèvres, pour se lever et traverser la pièce jusqu'à la porte. Trop fatiguée pour vouloir rester, trop fatiguée pour partir.

Je me suis avancé sur ma chaise. J'ai replié mes doigts, puis je les ai étirés. J'ai vu qu'elle les regardait. Puis elle a levé les yeux vers moi en souriant doucement. «Est-ce qu'on pourrait sauter l'étape suivante?»

Je savais évidemment ce qu'elle voulait dire, mais j'avais besoin de l'entendre. «De quelle étape parle-t-on?

— Les questions qui de toute évidence me sont venues à l'esprit un millier de fois.

— Et c'est ce soir que ça se passe?

— Si tu m'aimes, ne me fais pas te supplier.

— Okay.

— Tu les as?

— Oui.

— Tu les as sur toi?»

J'ai pris la bouteille opaque dans mon sac à bandoulière, que j'avais posé sur le sol à côté de ma chaise.

«Est-ce qu'il y en a assez?

— Oui, Sally, il y en a assez.

— Je n'ai pas besoin d'en prendre, genre, *deux cents*, dis-moi?

— Non.

— Combien je dois en prendre?

— Trente. Max.»

Elle a regardé la bouteille. «Elle me fait peur, cette bouteille. Est-ce qu'on peut les mettre dans autre chose?»

Je me suis levé, je suis allé dans la cuisine, j'ai ouvert la bouteille, ôté la boule de coton (on n'avait pas besoin d'un hochet sinistre venant de mon sac quand je traversais la pièce).

Le téléphone a sonné encore une fois.

«Mais c'est *qui*, ça, bon sang? elle a demandé.

— Tu veux que je réponde ?

— Mon Dieu non. Je t'en prie. Finissons-en.»
Après une pause, elle a dit : «Je ne veux pas vomir, être
trouvée à moitié vivante dans une flaque de vomi et
passer le reste de mes jours avec le QI d'un chou.

— Tu sais, Sally, pour une femme qui dit en
avoir assez, t'es terriblement amusante.

— La mort affine l'esprit. J'ai dû lire ça quelque
part.

— Non, je crois que c'est de ton cru.»
Elle y a pensé une seconde, articulant les mots
en silence. «T'es sûr ? Je ne veux pas finir sur une
note de plagiat.

— C'est tout toi. Tout craché.

— Où en étions-nous ?» elle a demandé. J'allais
ouvrir la bouche pour protester, mais elle m'a fait
taire d'un mouvement de la tête, m'a rappelé de ne
pas la faire supplier.

J'ai dit : «On boit un verre d'abord.

— Oui, quelque chose de festif.» (Un début de
recul ?)

«Okay.

— Qu'est-ce qui serait festif ?

— Bien, qu'est-ce que tu commanderais si on
était à La Cucaracha au Mexique ?

— Une margarita.

— As-tu les ingrédients?

— Et comment que je les ai!

— Tu me dis ce que je dois faire, puis je le fais.

— Attends, elle a dit, je viens avec toi dans la cuisine.

— Reste où tu es.

— J'ai toute l'éternité pour rester sur mon derrière. De toute façon, il y a un banc là-bas.»

Alors elle est venue dans la cuisine avec moi et m'a dit comment préparer une margarita.

Et quand on a eu fini, on a trinqué. Puis j'ai éteint la lumière et j'ai apporté les verres dans le salon et mis le sien près d'elle.

Elle a dit: «Irais-tu me chercher un verre d'eau, s'il te plaît? Un grand.

— Froide ou chaude?

— Juste tiède.»

J'ai posé le verre d'eau à côté de sa margarita. Puis j'ai dit: «Est-ce qu'il est trop tard? Est-ce qu'on peut mettre de la musique?» Je me suis surpris à penser à l'homme avec la veste blanche, dans le stationnement, qui m'envoyait la main. «Qu'est-ce que t'aimerais entendre?

— Eh bien, elle a dit pensivement, j'aimerais entendre "Take Five". Tu la connais. Dave Brubeck. J'ai toujours aimé ce solo de batterie.» (De même que la perspective du premier verre de la journée ragaillardit l'alcoolique, l'approche de la mort la rendait bavarde.) «C'est le seul solo de batterie que j'aie jamais aimé.»

Ou c'était peut-être les nerfs, maintenant qu'on y était enfin.

«Je suis d'accord.

— Normalement, je déteste les solos de batterie», elle a dit.

J'ai fait claquer sa collection de CD puis je l'ai trouvée, la couverture style Picasso. Je l'ai mis. On a écouté ces délicieuses premières mesures, cymbale et caisse claire bien nette.

«Maintenant écoute le piano, ce magnifique piano, elle a dit. Mes grands-parents m'ont fait apprendre le piano, un temps. Ils savaient que j'étais artiste, mais ils se trompaient de domaine. L'intention était bonne.»

Le liquide émeraude dans son verre penché touchait le rebord. Elle a mis la main dans le bol de pilules et en a pris une, puis une autre. Le cachet est tombé de sa main sur le tapis. Je l'ai ramassé pour elle et l'ai remis dans le bol.

Elle a dit : « Cette chanson me rend nostalgique d'une vie que je n'ai jamais vécue. Est-ce qu'une chanson t'as déjà fait le même effet ?

— Oui, mais moi, ç'a plus à voir avec les odeurs. Le savon Pears me fait cet effet-là.

— Comme c'est drôle. Kyle adorait l'odeur du savon Pears. Je pense que ça évoquait une vie qu'il voulait, un confort organisé qu'il savait qu'il ne pouvait pas se créer, faute de discipline. Même quand il était petit garçon, il aimait ça. Qu'est-ce que tu penses que ça veut dire ?

— Honnêtement, je ne sais pas.

— Penses-tu qu'il avait un pressentiment, même à l'époque, de ce qui allait arriver ? »

J'ai secoué la tête et souri, un peu bête ; c'est du moins comme ça que je me sentais. Nous avons écouté la musique. Le saxophone s'estompait, laissait la place au solo de batterie.

« Je ne veux pas dire que j'aurais voulu une vie différente, elle a poursuivi. J'ai eu une bonne vie. J'aurais pu me passer de ce foutu tapis, mais tout bien considéré, beaucoup d'amour, une fille magnifique… » Ses yeux se sont embués un moment ; elle pensait à Kyle. «Mais quand j'entends "Take Five", surtout le piano (là, tu l'entends?), j'ai l'impression qu'une partie de moi a grandi à Manhattan et allait dans des fêtes magnifiques. Je ne sais pas pourquoi, je pense toujours au magazine *Playboy* quand j'entends cette chanson. Des hommes avec des épingles à cravate. Hugh Hefner.» Elle a tendu la main et, avec difficulté, pris deux pilules.

«Je vais t'aider, j'ai dit.

— Non non, ça va.» Elle a mis un puis deux cachets dans sa bouche, lancé la tête en arrière, ses cheveux noirs tombant sur ses épaules, avant de se redresser et d'avaler une gorgée d'eau. «Tu sais, quand j'étais petite, je faisais des tours à dos de vache. Je te jure.

— Pourquoi t'es jamais venue vivre avec nous?» j'ai demandé.

Elle a réfléchi pendant une bonne minute. C'est long, une minute, en réalité. Je me sentais dégriser plus vite que je ne le voulais. Puis: «J'ai déjà pensé que c'était parce que ton père ne voulait pas élever l'enfant d'un autre homme. Pendant des années, c'est ce que j'ai cru. Mais vers la fin de sa vie, quand l'alcool et les médicaments ont commencé à la rendre plus floue dans ses histoires, Mère a laissé échapper quelque chose. J'ai compris soudainement que c'était *elle* qui ne voulait pas m'avoir dans les pattes.

— Mère ? Vraiment ?

— Vraiment.

— Est-ce que tu la voyais souvent ? j'ai demandé.

— Elle allait et venait. Quand ça lui chantait. Quand elle se sentait fleur bleue.

— Mais sa propre fille, sans doute que…

— La plupart des choses atroces dans la vie se produisent pour des raisons bien banales en fin de compte − c'est une chose que j'ai apprise. Tu sais ce que je pense ? Je pense qu'elle croyait que le nouvel homme dans sa vie l'aimerait peut-être davantage si elle ne venait pas avec autant de bagages. C'est peut-être même plus banal que ça. Peut-être que j'étais trop vieille ; peut-être qu'avoir une fille de *mon* âge venait contredire quelque chose qu'elle avait dit sur *le sien*. Une fois qu'elle l'a eu, qu'elle l'a épousé, alors elle pouvait laisser le chat sortir du sac. Je me souviens de ces vacances, une des quelques fois où je suis allée en vacances avec elle. J'étais plus âgée, j'étais mariée à l'époque, et j'étais décidée à passer par-dessus le fait qu'elle avait été nulle comme mère. Nous sommes allées dans une station balnéaire, avec du sable noir, à Antigua. Le premier soir, à l'hôtel, juste comme nous allions descendre pour le souper, elle m'a demandé de ne dire à personne que j'étais sa fille, de dire que j'étais une cousine.

J'ai dit : « Pourquoi étais-tu déterminée à ne pas la détester ? Pourquoi est-ce qu'on a besoin d'aimer tous les membres de notre famille sous prétexte qu'ils sont membres de notre famille ?

— Je vois que tu penses à ton frère Jake, encore.

— C'est juste un exemple.

Elle a dit : « La vérité, c'est que parfois je l'aimais vraiment, ma mère. Quand j'étais petite fille, j'avais l'habitude d'imaginer que je m'endormais dans ses bras. Et puis elle se pointait chez mes grands-parents, drôle, brillante, me faisait des câlins, me disait que j'étais belle, et on allait faire des tours de voiture et une fois de plus, je lui pardonnais tout.

— Et puis ?

— Et puis elle repartait. Parfois on aurait dit qu'elle voulait s'assurer que j'étais encore à elle. Qu'elle était libre de retourner à sa propre vie, sachant que j'étais toujours là.

— Mais tu lui as pardonné, en fin de compte.

— Juste avant sa mort, oui, je lui ai pardonné.

— Est-ce qu'elle l'a su ?

— Oui, oui. Elle a baissé la garde une fois. Et j'ai pu dire tout ce que j'avais besoin de lui dire.

— Et qu'est-ce qu'elle a répondu ?

— Elle a simplement écouté. C'est ce que j'avais besoin qu'elle fasse. Qu'elle écoute simplement et ne réplique pas ; ne se défende pas ; qu'elle ne soit pas sur la défensive. Puis elle a dit : "Tu as raison". Et tout était réglé. Je n'ai jamais été convaincue qu'elle ne se défilerait pas — les gens qui font ça le font rarement qu'une seule fois —, mais nous avons eu de beaux moments. Je m'assurais seulement de la tenir un peu à distance de mon cœur.»

Sally a pris encore quatre ou cinq cachets, puis elle a lancé sa tête en arrière pour avaler. «De toute façon, il semble qu'un jour ou l'autre, on laisse tous un être cher quelque part sur le bord de la route avant de redémarrer la voiture. Je l'ai fait à Kyle quand je l'ai mis dans cet autobus au Mexique ; elle me l'a fait pour se trouver un nouveau mari.»

Et je t'ai fait la même chose, j'ai pensé. Je me suis redressé. «Ça va te sembler un peu pompeux, mais je vais le dire quand même. Tous les péchés ne sont pas égaux. Mettre un ado auto-destructeur dans un autobus, c'est pas comme laisser sa fille grandir dans une autre maison. C'est pas la même chose.»

Ou ne pas se donner la peine de rendre visite à sa sœur handicapée.

Le solo de batterie de "Take Five" s'est terminé et, comme un invité qui entre dans la pièce en pantoufles, le saxophone a repris.

« Enfin », elle a dit, et je voyais bien qu'elle ne voulait pas en débattre. Qu'elle en était arrivée à une compréhension dont elle ne voulait pas être délogée.

J'ai dit : « Et son nouveau mari ? Qu'est-ce que tu pensais de lui ?

— Ton père ?

— Ouais.

— Très vieille école. Blazers, magnifiques chemises blanches amidonnées, et toujours les plus beaux boutons de manchettes. Il sentait le Old Spice. Juste un soupçon. On n'aurait pas pu être plus différents, mais on se faisait rire – ne me demande pas pourquoi. Je pense aussi qu'il avait un petit faible pour moi. Rien d'explicite ; seulement, il y avait cette petite étincelle dans sa manière de me parler, ou cette façon très, très délicate de me toucher le dos quand nous entrions dans une pièce ensemble. Je ne crois pas que Mère appréciait. Mais moi, oui. C'était une façon bien lâche de me venger, mais que veux-tu.

— Rien de plus?

— Ça m'a traversé l'esprit, mais ça aurait empoisonné mon cœur autant que le sien. Non. Mère avait son propre enfer – tu sais bien comment était ton père : toujours en marge. Et pas seulement financièrement. Il a baisé la moitié de ses amies, même les plus moches. Ça semble hostile, mais ce ne l'était pas. C'était juste cupide. Non, en fin de compte, notre mère ne s'en est pas tirée indemne. Personne n'en sort indemne. On finit tous par y goûter.»

Je voulais la faire parler encore ; elle prenait un plaisir si palpable à converser, elle dansait d'une façon si élégante quand elle parlait, que j'ai pensé un instant qu'elle pourrait vouloir rester pour poursuivre la discussion. Je savais aussi que si tout se déroulait comme prévu, ce serait les derniers chapitres, les derniers paragraphes, les dernières phrases que j'obtiendrais d'elle. Bientôt, il finirait par y avoir une coupure nette, une fin, et je n'aurais plus alors que nos anciennes conversations à revisiter ; et comme la peinture sur une vieille maison, elles s'estomperaient lentement. Je finirais ensuite par en oublier de grands bouts, puis les gens m'oublieraient et puis il ne resterait plus rien de nous et de cette soirée.

«Donc tu as grandi avec tes grands-parents. À la campagne. Et c'était… ?

— Tu veux me faire parler davantage, elle a dit avec un sourire. Et ça me fait plaisir de le faire. Mais il ne faut pas confondre ce plaisir avec autre chose, d'accord ?

— Okay.

— Promis ? »

J'ai hoché la tête.

«Nous vivions à sept milles en dehors de la ville, le voisin le plus près était un fermier de l'autre côté d'un champ de maïs. L'autobus scolaire venait au bout de notre allée chaque matin. Tout allait bien. Jusqu'à la puberté. Vivre à la campagne devient alors moins intéressant. On a toujours l'impression de passer à côté de quelque chose. Ce qui est le cas, au fond. Puis un jour une voiture s'est engagée dans notre allée et Bruce Saunders en est sorti. Et c'était fini.»

Elle a pris trois cachets et les a avalés. Nous nous sommes retirés, Sally et moi, dans nos pensées. Revenant à la surface, j'ai dit : «À quoi pensais-tu ? »

Elle a sursauté comme si elle venait d'être surprise. «À quelque chose de ridicule.

— Dis-moi.

— Ce n'est pas le genre de choses auquel on est censé penser en des moments pareils.» Tournant vers moi un visage mi-renfrogné, mi-souriant, elle a dit : « Est-ce que ça t'arrive d'avoir une chanson dans la tête et de ne pas pouvoir t'en débarrasser ?

— Oui. Toi ?

— Oui.

— Laquelle ?

— C'est la chanson thème d'une émission de télé, *The Waltons*.

— Oui. Je me souviens de cette émission.

— J'ai toujours aimé cet homme, l'acteur qui jouait le père de John-Boy. Tu connais son nom ?

— Non. Mais je me souviens de la chanson thème.

— Maintenant on est *deux* à l'entendre », elle a dit avec un sourire froid qui m'a serré le cœur.

o

Encore des cachets. J'entendais ses ongles tinter sur le bord du bol.

La musique a changé. « Moonlight Serenade » de Glenn Miller. Je ne l'avais pas entendue depuis la soirée avec Chloe dans ce club de jazz à Montréal.

«Belle chanson», j'ai dit.

Elle a levé les yeux, l'air endormi. «Glenn Miller, Tommy Dorsey, Benny Goodman. Un de ceux-là. Je me souviens plus.»

Nous écoutions, elle et moi, et ces saxophones paisibles flottaient comme des nuages au-dessus de nous.

«J'ai une autre faveur à te demander, elle a dit. Je veux que tu parles de cette soirée à Chloe. Je veux que tu le fasses bientôt. Je ne veux pas qu'elle pense que je suis morte seule et triste. Le feras-tu?

— Je vais le faire.

— Tu me le promets? Regarde-moi dans les yeux et jure-le.»

J'ai fait ce qu'elle me demandait. Et j'ai compris subitement qui était la personne qui avait appelé au téléphone.

Elle a soupiré. «Veux-tu danser avec moi? Je veux me rappeler la sensation d'être dans les bras d'un homme.»

Alors on a dansé, tous les deux. Elle a laissé tomber ses béquilles et je l'ai soulevée, mon menton contre le sien, et j'ai compris, à cette façon qu'elle avait de blottir son menton dans le creux de mon épaule, qu'elle était, après tout, encore une adolescente à la danse du village.

« Penses-tu qu'il y a une vie après la mort? » elle a demandé.

Elle sombrait dans le sommeil. J'ai dit, en la serrant contre moi, la serrant comme si elle était ma propre vie : « S'il y en a une, me le feras-tu savoir? Un lent soupir, ses yeux fermés. « Comment je ferais ça? »

— Trouve un moyen de me le faire savoir. Trouve un moyen de me le dire. »

Un instant, j'ai cru qu'elle s'était endormie, mais sa main a bougé et elle a dit : « Qu'est-ce que tu ferais alors?

— Je ne sais pas. Peut-être que je me comporterais mieux. Ou pire.

— Vaut mieux ne pas savoir.

— Mais toi, tu ne veux pas savoir? » j'ai demandé.

Une autre pause endormie, sa tête tombant sur sa poitrine.

« Je pense que j'aimerais m'allonger. Veux-tu m'aider? »

Elle était comme un poids mort, sa tête rebondissait sur mon épaule. Je l'ai prise dans mes bras, l'ai soulevée puis couchée sur le divan sur le dos, j'ai allongé ses jambes et mis un coussin sous sa tête et je me suis assis à côté d'elle. J'ai pris sa main. Elle était encore si chaude, si pleine de vie. Son pouls battait comme un minuscule oiseau sous sa peau.

«Quand j'étais petite, elle a dit, j'avais l'habitude de dormir sur la véranda l'été. Ils avaient mis un petit lit pour moi. Et parfois, au milieu de la nuit, il se mettait à pleuvoir. J'aimais *tant* le son de la pluie. Mon grand-père venait alors sur la véranda et disait : "Sally, veux-tu rentrer?" Et je disais : "Non, Grand-pa, je veux rester ici. Veux-tu rester avec moi?" Et il acceptait puis s'assoyait, et je l'entendais s'installer sur la chaise et allumer sa pipe, et je sentais la fumée qui flottait jusqu'à moi, cette délicieuse fumée bleue, et j'étais heureuse, si heureuse – juste avec cette pluie et la chaleur de mon lit et le tabac de grand-papa. J'étais heureuse pour l'éternité.

— Je vais rester avec toi, j'ai dit.

— Vraiment?

— Oui, Sally, oui, je vais rester avec toi.»

Pendant un long moment, rien, et puis elle a murmuré quelque chose. Je me suis penché sur elle. «Quoi?» j'ai chuchoté. J'ai porté mon oreille à sa bouche. «Oui?»

Et puis elle a dit, ou je pense qu'elle a dit : «J'y suis presque.»

Environ un quart d'heure plus tard, elle a inspiré profondément, comme si elle allait dire quelque chose ; et puis elle a expiré lentement. Et je ne l'ai plus jamais entendue respirer. Je l'ai embrassée sur le front. Je pouvais sentir la vie quitter son corps. J'ai dit : « Je t'aime, je t'aime. S'il te plaît, apporte ceci avec toi, où que tu ailles. »

Je n'étais jamais resté seul dans une pièce avec la mort. Mais je suis resté avec elle parce que j'ai toujours soupçonné qu'il y a quelque chose entre la mort et la mort, un état qui suit la mort, mais qui précède l'extinction. Et je voulais lui tenir compagnie dans cette zone. Qui connaît le moment où nous vient la conscience et celui où elle nous quitte ?

Je restais dans ma chaise, tenant sa main, lui parlant doucement. Soudain, la chair de poule a parcouru mon corps comme une vague ; ma voix s'est brisée ; les larmes coulaient sur mes joues. « Je suis désolé, j'ai dit. Je suis désolé. »

Sa main refroidissait, et tandis qu'elle refroidissait, je sentais un changement se produire en elle, *voyais* le changement, plutôt, et j'ai compris pour la première fois que nous sommes nés avec une âme, qu'elle habite notre corps pendant toute notre vie, et qu'au moment de notre mort, à regret, comme des enfants qui quittent un parc, notre âme se détache très doucement et s'en va, comme une ombre, emportant avec elle tout ce qui nous rendait humain, tout ce qui faisait que nous étions *nous*. Et derrière, dans son sillage, reste un corps, une résidence inhabitée. Les portes qui claquent au vent, les fenêtres qui grincent. De l'herbe qui pousse dans les fentes du plancher.

Voilà donc la mort, j'ai pensé. J'ai touché le visage de ma sœur. Il était devenu froid lui aussi.

Mais je suis resté encore. «Me le diras-tu? j'ai demandé. Trouveras-tu le moyen de me le dire?» Mais ce corps sur le divan devant moi, dans sa robe de chambre verte, les lèvres rouges de rouge à lèvres, le front lisse, je savais qu'elle l'avait quitté, et il me semblait que je ne parlais à personne, que je parlais à une pièce vide.

«Où es-tu allée? j'ai demandé. Où es-tu maintenant?»

Mais il n'y a pas eu de réponse.

«Est-ce qu'il y a quelqu'un avec toi?»

Je suis resté auprès du corps de Sally jusqu'à ce que le soleil se lève. Un matin, je me souviens, à l'éclat presque métallique. J'ai collé la note disant d'appeler la police sur l'extérieur de sa porte. Puis, après m'être assuré que le corridor était vide, les cendres de son fils sous le bras et, dans la poche, la bouteille de pilules qui s'entrechoquaient comme des dents, je l'ai embrassée sur le front. «Au revoir, Sally, au revoir», puis j'ai descendu l'escalier arrière et je suis rentré chez moi.

DATE DUE

Imprimer au Québec
eux mille quatorze

BRODART, CO.   Cat. No. 23-221-003